HE

GEDICHTE

AUSWAHL UND NACHWORT VON
GEORGES SCHLOCKER

PHILIPP RECLAM JUN. STUTTGART

Der Text folgt: Heinrich Heines sämtliche Werke. Herausgegeben von Ernst Elster. Zweite, kritisch durchgesehene und erläuterte Ausgabe. Leipzig: Bibliographisches Institut, o. J. [1924]. Die Orthographie wurde behutsam modernisiert, die Interpunktion belassen, die Anmerkungen wurden zum größten Teil übernommen.

Umschlagabbildung: Heinrich Heine. Radierung von Eduard Mandel nach einer Zeichnung von Franz Kugler, 1829.

Universal-Bibliothek Nr. 8988 [2]

Satz: Wenzlaff KG, Kempten (Allgäu)
Druck und Bindung: Reclam, Ditzingen
Printed in Germany 1985
ISBN 3-15-008988-3

Aus dem Buch der Lieder

Vorrede zur dritten Auflage

Das ist der alte Märchenwald!
Es duftet die Lindenblüte!
Der wunderbare Mondenglanz
Bezaubert mein Gemüte.

Ich ging fürbaß, und wie ich ging,
Erklang es in der Höhe.
Das ist die Nachtigall, sie singt
Von Lieb' und Liebeswehe.

Sie singt von Lieb' und Liebesweh,
Von Tränen und von Lachen,
Sie jubelt so traurig, sie schluchzet so froh,
Vergessene Träume erwachen. –

Ich ging fürbaß, und wie ich ging,
Da sah ich vor mir liegen
Auf freiem Platz ein großes Schloß,
Die Giebel hoch aufstiegen.

Verschlossene Fenster, überall
Ein Schweigen und ein Trauern;
Es schien, als wohne der stille Tod
In diesen öden Mauern.

Dort vor dem Tor lag eine Sphinx,
Ein Zwitter von Schrecken und Lüsten,

Der Leib und die Tatzen wie ein Löw',
Ein Weib an Haupt und Brüsten.

Ein schönes Weib! Der weiße Blick,
Er sprach von wildem Begehren;
Die stummen Lippen wölbten sich
Und lächelten stilles Gewähren.

Die Nachtigall, sie sang so süß –
Ich konnt' nicht widerstehen –
Und als ich küßte das holde Gesicht,
Da war's um mich geschehen.

Lebendig ward das Marmorbild,
Der Stein begann zu ächzen –
Sie trank meiner Küsse lodernde Glut
Mit Dürsten und mit Lechzen.

Sie trank mir fast den Odem aus –
Und endlich, wollustheischend,
Umschlang sie mich, meinen armen Leib
Mit den Löwentatzen zerfleischend.

Entzückende Marter und wonniges Weh!
Der Schmerz wie die Lust unermeßlich!
Derweilen des Mundes Kuß mich beglückt,
Verwunden die Tatzen mich gräßlich.

Die Nachtigall sang: „O schöne Sphinx!
O Liebe! was soll es bedeuten,
Daß du vermischest mit Todesqual
All deine Seligkeiten?

O schöne Sphinx! O löse mir
Das Rätsel, das wunderbare!
Ich hab darüber nachgedacht
Schon manche tausend Jahre."

Junge Leiden
(1817–1821)

Traumbilder

Mir träumte einst von wildem Liebesglühn,
Von hübschen Locken, Myrten und Resede,
Von süßen Lippen und von bittrer Rede,
Von düstrer Lieder düstern Melodien.

Verblichen und verweht sind längst die Träume,
Verweht ist gar mein liebstes Traumgebild'!
Geblieben ist mir nur, was glutenwild
Ich einst gegossen hab in weiche Reime.

Du bliebst, verwaistes Lied! Verweh jetzt auch,
Und such das Traumbild, das mir längst entschwunden,
Und grüß es mir, wenn du es aufgefunden –
Dem luft'gen Schatten send ich luft'gen Hauch.

Im nächt'gen Traum hab ich mich selbst geschaut,
In schwarzem Galafrack und seidner Weste,
Manschetten an der Hand, als ging's zum Feste,
Und vor mir stand mein Liebchen, süß und traut.

Ich beugte mich und sagte: „Sind Sie Braut?
Ei! Ei! so gratulier ich, meine Beste!"
Doch fast die Kehle mir zusammenpreßte
Der langgezogne, vornehm kalte Laut.

Und bittre Tränen plötzlich sich ergossen
Aus Liebchens Augen, und in Tränenwogen
Ist mir das holde Bildnis fast zerflossen.

O süße Augen, fromme Liebessterne,
Obschon ihr mir im Wachen oft gelogen,
Und auch im Traum, glaub ich euch dennoch gerne!

Da hab ich viel blasse Leichen
Beschworen mit Wortesmacht;
Die wollen nun nicht mehr weichen
Zurück in die alte Nacht.

Das zähmende Sprüchlein vom Meister
Vergaß ich vor Schauer und Graus;
Nun ziehn die eignen Geister
Mich selber ins neblichte Haus.

Laßt ab, ihr finstern Dämonen!
Laßt ab und drängt mich nicht!
Noch manche Freude mag wohnen
Hier oben im Rosenlicht.

Ich muß ja immer streben
Nach der Blume wunderhold;
Was bedeutet' mein ganzes Leben,
Wenn ich sie nicht lieben sollt'?

Ich möcht sie nur einmal umfangen
Und pressen ans glühende Herz!
Nur einmal auf Lippen und Wangen
Küssen den seligsten Schmerz!

Nur einmal aus ihrem Munde
Möcht ich hören ein liebendes Wort –
Alsdann wollt' ich folgen zur Stunde
Euch, Geister, zum finsteren Ort.

Die Geister haben's vernommen
Und nicken schauerlich.
Feins Liebchen, nun bin ich gekommen, –
Feins Liebchen, liebst du mich?

Lieder

Es treibt mich hin, es treibt mich her!
Noch wenige Stunden, dann soll ich sie schauen,
Sie selber, die schönste der schönen Jungfrauen; –
Du treues Herz, was pochst du so schwer!

Die Stunden sind aber ein faules Volk!
Schleppen sich behaglich träge,
Schleichen gähnend ihre Wege; –
Tummle dich, du faules Volk!

Tobende Eile mich treibend erfaßt!
Aber wohl niemals liebten die Horen; –
Heimlich im grausamen Bunde verschworen,
Spotten sie tückisch der Liebenden Hast.

Schöne Wiege meiner Leiden,
Schönes Grabmal meiner Ruh',
Schöne Stadt, wir müssen scheiden –
Lebe wohl! ruf ich dir zu.

Lebe wohl, du heil'ge Schwelle,
Wo da wandelt Liebchen traut;
Lebe wohl, du heil'ge Stelle,
Wo ich sie zuerst geschaut.

Hätt' ich dich doch nie gesehen,
Schöne Herzenskönigin!
Nimmer wär' es dann geschehen
Daß ich jetzt so elend bin.

Nie wollt' ich dein Herze rühren,
Liebe hab ich nie erfleht;
Nur ein stilles Leben führen
Wollt' ich, wo dein Odem weht.

Doch du drängst mich selbst von hinnen,
Bittre Worte spricht dein Mund;
Wahnsinn wühlt in meinen Sinnen,
Und mein Herz ist krank und wund.

Und die Glieder matt und träge
Schlepp ich fort am Wanderstab,
Bis mein müdes Haupt ich lege
Ferne in ein kühles Grab.

Warte, warte, wilder Schiffsmann,
Gleich folg ich zum Hafen dir;
Von zwei Jungfraun nehm ich Abschied,
Von Europa und von ihr.

Blutquell, rinn aus meinen Augen,
Blutquell, brich aus meinem Leib,
Daß ich mit dem heißen Blute
Meine Schmerzen niederschreib.

Ei, mein Lieb, warum just heute
Schauderst du, mein Blut zu sehn?
Sahst mich bleich und herzeblutend
Lange Jahre vor dir stehn!

Kennst du noch das alte Liedchen
Von der Schlang' im Paradies,
Die durch schlimme Apfelgabe
Unsern Ahn ins Elend stieß?

Alles Unheil brachten Äpfel!
Eva bracht' damit den Tod,
Eris brachte Trojas Flammen,
Du brachtst beides, Flamm' und Tod.

Berg' und Burgen schaun herunter
In den spiegelhellen Rhein,
Und mein Schiffchen segelt munter,
Rings umglänzt von Sonnenschein.

Ruhig seh ich zu dem Spiele
Goldner Wellen, kraus bewegt;
Still erwachen die Gefühle,
Die ich tief im Busen hegt'.

Freundlich grüßend und verheißend
Lockt hinab des Stromes Pracht;
Doch ich kenn ihn, oben gleißend,
Birgt sein Innres Tod und Nacht.

Oben Lust, im Busen Tücken,
Strom, du bist der Liebsten Bild!
Die kann auch so freundlich nicken,
Lächelt auch so fromm und mild.

LIED DES GEFANGENEN[1]

Als meine Großmutter die Liese behext,
Da wollten die Leut' sie verbrennen.
Schon hatte der Amtmann viel Dinte verkleckst,
Doch wollte sie nicht bekennen.

Und als man sie in den Kessel schob,
Da schrie sie Mord und Wehe;
Und als sich der schwarze Qualm erhob,
Da flog sie als Rab' in die Höhe.

Mein schwarzes, gefiedertes Großmütterlein!
O komm mich im Turme besuchen!
Komm, fliege geschwind durchs Gitter herein,
Und bringe mir Käse und Kuchen.

Mein schwarzes, gefiedertes Großmütterlein!
O möchtest du nur sorgen,
Daß die Muhme nicht auspickt die Augen mein,
Wenn ich luftig schwebe morgen.

DIE GRENADIERE

Nach Frankreich zogen zwei Grenadier',
Die waren in Rußland gefangen.
Und als sie kamen ins deutsche Quartier,
Sie ließen die Köpfe hangen.

Da hörten sie beide die traurige Mär:
Daß Frankreich verlorengegangen,

1. Ursprünglich deutlicher als „Lied des gefangenen Räubers" bezeichnet.

Besiegt und zerschlagen das große Heer –
Und der Kaiser, der Kaiser gefangen.

Da weinten zusammen die Grenadier'
Wohl ob der kläglichen Kunde.
Der eine sprach: „Wie weh wird mir,
Wie brennt meine alte Wunde!"

Der andre sprach: „Das Lied ist aus,
Auch ich möcht mit dir sterben,
Doch hab ich Weib und Kind zu Haus,
Die ohne mich verderben." –

„Was schert mich Weib, was schert mich Kind!
Ich trage weit beßres Verlangen;
Laß sie betteln gehn, wenn sie hungrig sind –
Mein Kaiser, mein Kaiser gefangen!

Gewähr mir, Bruder, eine Bitt':
Wenn ich jetzt sterben werde,
So nimm meine Leiche nach Frankreich mit,
Begrab mich in Frankreichs Erde.

Das Ehrenkreuz am roten Band
Sollst du aufs Herz mir legen;
Die Flinte gib mir in die Hand,
Und gürt mir um den Degen.

So will ich liegen und horchen still
Wie eine Schildwach' im Grabe,
Bis einst ich höre Kanonengebrüll
Und wiehernder Rosse Getrabe.

Dann reitet mein Kaiser wohl über mein Grab,
Viel Schwerter klirren und blitzen;
Dann steig ich gewaffnet hervor aus dem Grab –
Den Kaiser, den Kaiser zu schützen!"

DIE HEIMFÜHRUNG

„Ich geh nicht allein, mein feines Lieb,
Du mußt mit mir wandern
Nach der lieben, alten, schaurigen Klause,
In dem trüben, kalten, traurigen Hause,
Wo meine Mutter am Eingang kaurt
Und auf des Sohnes Heimkehr laurt." –

„Laß ab von mir, du finstrer Mann!
Wer hat dich gerufen?
Dein Odem glüht, deine Hand ist Eis,
Dein Auge sprüht, deine Wang' ist weiß; –
Ich aber will mich lustig freun
An Rosenduft und Sonnenschein." –

„Laß duften die Rosen, laß scheinen die Sonn'
Mein süßes Liebchen!
Wirf um den weiten weißwallenden Schleier,
Und greif in die Saiten der schallenden Leier,
Und singe ein Hochzeitlied dabei;
Der Nachtwind pfeift die Melodei."

DON RAMIRO

„Donna Clara! Donna Clara!
Heißgeliebte langer Jahre!
Hast beschlossen mein Verderben,
Und beschlossen ohn' Erbarmen.

Donna Clara! Donna Clara!
Ist doch süß die Lebensgabe!
Aber unten ist es grausig
In dem dunkeln, kalten Grabe.

Donna Clara! Freu dich, morgen
Wird Fernando am Altare
Dich als Ehgemahl begrüßen –
Wirst du mich zur Hochzeit laden?“ –

„Don Ramiro! Don Ramiro!
Deine Worte treffen bitter,
Bittrer als der Spruch der Sterne,
Die da spotten meines Willens.

Don Ramiro! Don Ramiro!
Rüttle ab den dumpfen Trübsinn;
Mädchen gibt es viel auf Erden,
Aber uns hat Gott geschieden.

Don Ramiro, der du mutig
So viel Mohren überwunden,
Überwinde nun dich selber –
Komm auf meine Hochzeit morgen.“ –

„Donna Clara! Donna Clara!
Ja, ich schwör es, ja, ich komme!
Will mit dir den Reihen tanzen; –
Gute Nacht, ich komme morgen.“ –

„Gute Nacht!“ – Das Fenster klirrte.
Seufzend stand Ramiro unten,
Stand noch lange wie versteinert;
Endlich schwand er fort im Dunkeln.

Endlich auch, nach langem Ringen,
Muß die Nacht dem Tage weichen;
Wie ein bunter Blumengarten
Liegt Toledo ausgebreitet.

Prachtgebäude und Paläste
Schimmern hell im Glanz der Sonne;

Und der Kirchen hohe Kuppeln
Leuchten stattlich wie vergoldet.

Summend, wie ein Schwarm von Bienen,
Klingt der Glocken Festgeläute,
Lieblich steigen Betgesänge
Aus den frommen Gotteshäusern.

Aber dorten, siehe! siehe!
Dorten aus der Marktkapelle
Im Gewimmel und Gewoge
Strömt des Volkes bunte Menge.

Blanke Ritter, schmucke Frauen,
Hofgesinde, festlich blinkend,
Und die hellen Glocken läuten,
Und die Orgel rauscht dazwischen.

Doch, mit Ehrfurcht ausgewichen,
In des Volkes Mitte wandelt
Das geschmückte junge Ehpaar,
Donna Clara, Don Fernando.

Bis an Bräutigams Palasttor
Wälzet sich das Volksgewühle;
Dort beginnt die Hochzeitfeier,
Prunkhaft und nach alter Sitte.

Ritterspiel und frohe Tafel
Wechseln unter lautem Jubel;
Rauschend schnell entfliehn die Stunden,
Bis die Nacht herabgesunken.

Und zum Tanze sich versammeln
In dem Saal die Hochzeitgäste;
In dem Glanz der Lichter funkeln
Ihre bunten Prachtgewänder.

Auf erhobne Stühle ließen
Braut und Bräutigam sich nieder,
Donna Clara, Don Fernando,
Und sie tauschen süße Reden.

Und im Saale wogen heiter
Die geschmückten Menschenwellen,
Und die lauten Pauken wirbeln,
Und es schmettern die Trommeten.

„Doch warum, o schöne Herrin,
Sind gerichtet deine Blicke
Dorthin nach der Saalesecke?“
So verwundert sprach der Ritter.

„Siehst du denn nicht, Don Fernando,
Dort den Mann im schwarzen Mantel?“
Und der Ritter lächelt freundlich:
„Ach! das ist ja nur ein Schatten.“

Doch es nähert sich der Schatten,
Und es war ein Mann im Mantel;
Und Ramiro schnell erkennend,
Grüßt ihn Clara, glutbefangen.

Und der Tanz hat schon begonnen,
Munter drehen sich die Tänzer
In des Walzers wilden Kreisen,
Und der Boden dröhnt und bebet.

„Wahrlich gerne, Don Ramiro,
Will ich dir zum Tanze folgen,
Doch im nächtlich schwarzen Mantel
Hättest du nicht kommen sollen.“

Mit durchbohrend stieren Augen
Schaut Ramiro auf die Holde,

Sie umschlingend spricht er düster:
„Sprachest ja, ich sollte kommen!"

Und ins wirre Tanzgetümmel
Drängen sich die beiden Tänzer;
Und die lauten Pauken wirbeln,
Und es schmettern die Trommeten.

„Sind ja schneeweiß deine Wangen!"
Flüstert Clara, heimlich zitternd.
„Sprachest ja, ich sollte kommen!"
Schallet dumpf Ramiros Stimme.

Und im Saal die Kerzen blinzeln
Durch das flutende Gedränge;
Und die lauten Pauken wirbeln,
Und es schmettern die Trommeten.

„Sind ja eiskalt deine Hände!"
Flüstert Clara, schauerzuckend.
„Sprachest ja, ich sollte kommen!"
Und sie treiben fort im Strudel.

„Laß mich, laß mich! Don Ramiro!
Leichenduft ist ja dein Odem!"
Wiederum die dunklen Worte:
„Sprachest ja, ich sollte kommen!"

Und der Boden raucht und glühet,
Lustig tönet Geig' und Bratsche;
Wie ein tolles Zauberweben
Schwindelt alles in dem Saale.

„Laß mich, laß mich! Don Ramiro!"
Wimmert's immer im Gewoge.
Don Ramiro stets erwidert:
„Sprachest ja, ich sollte kommen!" –

„Nun, so geh, in Gottes Namen!“
Clara rief's mit fester Stimme,
Und dies Wort war kaum gesprochen,
Und verschwunden war Ramiro!

Clara starret, Tod im Antlitz,
Kaltumflirret, nachtumwoben;
Ohnmacht hat das lichte Bildnis
In ihr dunkles Reich gezogen.

Endlich weicht der Nebelschlummer,
Endlich schlägt sie auf die Wimper;
Aber Staunen will aufs neue
Ihre holden Augen schließen.

Denn derweil der Tanz begonnen,
War sie nicht vom Sitz gewichen,
Und sie sitzt noch bei dem Bräut'gam,
Und der Ritter sorgsam bittet:

„Sprich, was bleichet deine Wangen?
Warum wird dein Aug' so dunkel?“ –
„Und Ramiro? – –“ stottert Clara,
Und Entsetzen lähmt die Zunge.

Doch mit tiefen, ernsten Falten
Furcht sich jetzt des Bräut'gams Stirne:
„Herrin, forsch nicht blut'ge Kunde –
Heute mittag starb Ramiro.“

BELSAZAR

Die Mitternacht zog näher schon;
In stummer Ruh' lag Babylon.

Nur oben in des Königs Schloß,
Da flackert's, da lärmt des Königs Troß.

Dort oben in dem Königssaal
Belsazar hielt sein Königsmahl.

Die Knechte[1] saßen in schimmernden Reihn
Und leerten die Becher mit funkelndem Wein.

Es klirrten die Becher, es jauchzten die Knecht';
So klang es dem störrigen Könige recht.

Des Königs Wangen leuchten Glut;
Im Wein erwuchs ihm kecker Mut.

Und blindlings reißt der Mut ihn fort;
Und er lästert die Gottheit mit sündigem Wort.

Und er brüstet sich frech und lästert wild;
Die Knechtenschar ihm Beifall brüllt.

Der König rief mit stolzem Blick;
Der Diener eilt und kehrt zurück.

Er trug viel gülden Gerät auf dem Haupt;
Das war aus dem Tempel Jehovas geraubt.

Und der König ergriff mit frevler Hand
Einen heiligen Becher, gefüllt bis am Rand.

Und er leert ihn hastig bis auf den Grund
Und rufet laut mit schäumendem Mund:

„Jehova! dir künd ich auf ewig Hohn –
Ich bin der König von Babylon!"

1. Gemeint sind die Großen, die „Gewaltigen und Hauptleute".

Doch kaum das grause Wort verklang,
Dem König ward's heimlich im Busen bang.

Das gellende Lachen verstummte zumal;
Es wurde leichenstill im Saal.

Und sich! und sieh! an weißer Wand,
Da kam's hervor, wie Menschenhand;

Und schrieb, und schrieb an weißer Wand
Buchstaben von Feuer und schrieb und schwand.

Der König stieren Blicks da saß,
Mit schlotternden Knien und totenblaß.

Die Knechtenschar saß kalt durchgraut,
Und saß gar still, gab keinen Laut.

Die Magier kamen, doch keiner verstand
Zu deuten die Flammenschrift an der Wand.

Belsazar ward aber in selbiger Nacht
Von seinen Knechten umgebracht.

AN EINE SÄNGERIN[1]

Als sie eine alte Romanze sang

Ich denke noch der Zaubervollen,
Wie sie zuerst mein Auge sah!
Wie ihre Töne lieblich klangen
Und heimlich süß ins Herze drangen,
Entrollten Tränen meinen Wangen –
Ich wußte nicht, wie mir geschah.

1. Karoline Stern, Theater- und Konzertsängerin in Düsseldorf; verkehrte viel im Hause von Heines Eltern.

Ein Traum war über mich gekommen:
Mir war, als sei ich noch ein Kind,
Und säße still beim Lämpchenscheine
In Mutters frommem Kämmerleine
Und läse Märchen, wunderfeine,
Derweilen draußen Nacht und Wind.

Die Märchen fangen an zu leben,
Die Ritter steigen aus der Gruft;
Bei Ronzisvall, da gibt's ein Streiten,
Da kommt Herr Roland herzureiten,
Viel kühne Degen ihn begleiten,
Auch leider Ganelon, der Schuft.

Durch den wird Roland schlimm gebettet,
Er schwimmt in Blut und atmet kaum;
Kaum mochte fern sein Jagdhornzeichen
Das Ohr des großen Karls erreichen,
Da muß der Ritter schon erbleichen –
Und mit ihm stirbt zugleich mein Traum.

Das war ein lautverworrnes Schallen,
Das mich aus meinen Träumen rief.
Verklungen war jetzt die Legende,
Die Leute schlugen in die Hände
Und riefen „Bravo!“ ohne Ende;
Die Sängerin verneigt sich tief.

AN MEINE MUTTER B. HEINE,
geborne v. Geldern

I

Ich bin's gewohnt, den Kopf recht hoch zu tragen,
Mein Sinn ist auch ein bißchen starr und zähe;
Wenn selbst der König mir ins Antlitz sähe,
Ich würde nicht die Augen niederschlagen.

Doch, liebe Mutter, offen will ich's sagen:
Wie mächtig auch mein stolzer Mut sich blähe,
In deiner selig süßen, trauten Nähe
Ergreift mich oft ein demutvolles Zagen.

Ist es dein Geist, der heimlich mich bezwinget,
Dein hoher Geist, der alles kühn durchdringet
Und blitzend sich zum Himmelslichte schwinget?

Quält mich Erinnerung, daß ich verübet
So manche Tat, die dir das Herz betrübet,
Das schöne Herz, das mich so sehr geliebet?

II

Im tollen Wahn hatt' ich dich einst verlassen,
Ich wollte gehn die ganze Welt zu Ende,
Und wollte sehn, ob ich die Liebe fände,
Um liebevoll die Liebe zu umfassen.

Die Liebe suchte ich auf allen Gassen,
Vor jeder Türe streckt' ich aus die Hände
Und bettelte um g'ringe Liebesspende –
Doch lachend gab man mir nur kaltes Hassen.

Und immer irrte ich nach Liebe, immer
Nach Liebe, doch die Liebe fand ich nimmer
Und kehrte um nach Hause, krank und trübe.

Doch da bist du entgegen mir gekommen,
Und ach! was da in deinem Aug' geschwommen,
Das war die süße, langgesuchte Liebe.

AN H. S.[1]

Wie ich dein Büchlein hastig aufgeschlagen,
Da grüßen mir entgegen viel vertraute,
Viel goldne Bilder, die ich weiland schaute
Im Knabentraum und in den Kindertagen.

Ich sehe wieder stolz gen Himmel ragen
Den frommen Dom, den deutscher Glaube baute,
Ich hör der Glocken und der Orgel Laute,
Dazwischen klingt's wie süße Liebesklagen.

Wohl seh ich auch, wie sie den Dom umklettern,
Die flinken Zwerglein, die sich dort erfrechen,
Das hübsche Blum- und Schnitzwerk abzubrechen[2].

Doch mag man immerhin die Eich' entblättern
Und sie des grünen Schmuckes rings berauben –
Kommt neuer Lenz, wird sie sich neu belauben.

1. Älteste Überschrift: „An H. Str. Nachdem ich seine Zeitschrift für Erweckung altdeutscher Kunst durchlesen." Gemeint ist Heinrich Straube (geb. 1794, gestorben als Ober-Appellationsgerichtsrat in Kassel 1847), der zusammen mit D. J. P. v. Hornthal 1818 die Zeitschrift *Wünschelrute* herausgab; Arndt, Brentano, Kerner, Schwab, die Brüder Grimm u. a. waren an ihr als Mitarbeiter beteiligt. Heine wurde mit Straube 1820 in Göttingen bekannt und bald nahe befreundet.

2. Die feineren Ornamente des alten Turmes aus Trachyt waren durch den Einfluß der Witterung zerstört worden, bröckelten ab und mußten vollends entfernt werden. Später wurden sie wieder ersetzt.

FRESKO-SONETTE[1] AN CHRISTIAN S.[2]

I

Ich tanz nicht mit, ich räuchre nicht den Klötzen,
Die außen goldig sind, inwendig Sand;
Ich schlag nicht ein, reicht mir ein Bub die Hand,
Der heimlich mir den Namen will zerfetzen.

Ich beug mich nicht vor jenen hübschen Metzen,
Die schamlos prunken mit der eignen Schand';
Ich zieh nicht mit, wenn sich der Pöbel spannt
Vor Siegeswagen seiner eiteln Götzen.

Ich weiß es wohl, die Eiche muß erliegen,
Derweil das Rohr am Bach durch schwankes Biegen
In Wind und Wetter stehnbleibt, nach wie vor.

Doch sprich, wie weit bringt's wohl am End' solch Rohr?
Welch Glück! als ein Spazierstock dient's dem Stutzer,
Als Kleiderklopfer dient's dem Stiefelputzer.

II

Gib her die Larv', ich will mich jetzt maskieren
In einen Lumpenkerl, damit Halunken,
Die prächtig in Charaktermasken prunken,
Nicht wähnen, ich sei einer von den Ihren.

Gib her gemeine Worte und Manieren,
Ich zeige mich in Pöbelart versunken,

1. Sonette im großen Stil von Freskomalereien.
2. Christian Sethe (geb. 1798), eine Schulfreund Heines und ihm auch später lange Jahre hindurch nahestehend; gestorben als Provinzialsteuerdirektor in Stettin 1857.

Verleugne all die schönen Geistesfunken,
Womit jetzt fade Schlingel kokettieren.

So tanz ich auf dem großen Maskenballe,
Umschwärmt von deutschen Rittern, Mönchen, Kön'gen,
Von Harlekin gegrüßt, erkannt von wen'gen.

Mit ihrem Holzschwert prügeln sie mich alle.
Das ist der Spaß. Denn wollt' ich mich entmummen,
So müßte all das Galgenpack verstummen.

III

Ich lache ob den abgeschmackten Laffen,
Die mich anglotzen mit den Bocksgesichtern;
Ich lache ob den Füchsen, die so nüchtern
Und hämisch mich beschnüffeln und begaffen.

Ich lache ob den hochgelahrten Affen,
Die sich aufblähn zu stolzen Geistesrichtern;
Ich lache ob den feigen Bösewichtern,
Die mich bedrohn mit giftgetränkten Waffen.

Denn wenn des Glückes hübsche Siebensachen
Uns von des Schicksals Händen sind zerbrochen,
Und so zu unsern Füßen hingeschmissen,

Und wenn das Herz im Leibe ist zerrissen,
Zerrissen und zerschnitten und zerstochen –
Dann bleibt uns doch das schöne gelle Lachen.

IV

Im Hirn spukt mir ein Märchen wunderfein,
Und in dem Märchen klingt ein feines Lied,

Und in dem Liede lebt und webt und blüht
Ein wunderschönes, zartes Mägdelein.

Und in dem Mägdlein wohnt ein Herzchen klein,
Doch in dem Herzchen keine Liebe glüht;
In dieses lieblos frostige Gemüt
Kam Hochmut nur und Übermut hinein.

Hörst du, wie mir im Kopf das Märchen klinget?
Und wie das Liedchen summet ernst und schaurig?
Und wie das Mägdlein kichert leise, leise?

Ich fürchte nur, daß mir der Kopf zerspringet –
Und ach! da wär's doch gar entsetzlich traurig,
Käm' der Verstand mir aus dem alten Gleise.

V

In stiller, wehmutweicher Abendstunde
Umklingen mich die längst verschollnen Lieder,
Und Tränen fließen von der Wange nieder,
Und Blut entquillt der alten Herzenswunde.

Und wie in eines Zauberspiegels Grunde
Seh ich das Bildnis meiner Liebsten wieder;
Sie sitzt am Arbeitstisch, im roten Mieder,
Und Stille herrscht in ihrer sel'gen Runde.

Doch plötzlich springt sie auf vom Stuhl und schneidet
Von ihrem Haupt die schönste aller Locken
Und gibt sie mir – vor Freud' bin ich erschrocken.

Mephisto hat die Freude mir verleidet.
Er spann ein festes Seil von jenen Haaren
Und schleift mich dran herum seit vielen Jahren.

VI

„Als ich vor einem Jahr dich wiederblickte,
Küßtest du mich nicht in der Willkommstund'."
So sprach ich, und der Liebsten roter Mund
Den schönsten Kuß auf meine Lippen drückte.

Und lächelnd süß ein Myrtenreis sie pflückte
Vom Myrtenstrauche, der am Fenster stund:
„Nimm hin und pflanz dies Reis in frischen Grund
Und stell ein Glas darauf", sprach sie und nickte. –

Schon lang ist's her. Es starb das Reis im Topf.
Sie selbst hab ich seit Jahren nicht gesehn;
Doch brennt der Kuß mir immer noch im Kopf.

Und aus der Ferne trieb's mich jüngst zum Ort,
Wo Liebchen wohnt. Vorm Hause blieb ich stehn
Die ganze Nacht, ging erst am Morgen fort.

VII

Hüt dich, mein Freund, vor grimmen Teufelsfratzen,
Doch schlimmer sind die sanften Engelsfrätzchen.
Ein solches bot mir einst ein süßes Schmätzchen,
Doch wie ich kam, da fühlt' ich scharfe Tatzen.

Hüt dich, mein Freund, vor schwarzen, alten Katzen,
Doch schlimmer sind die weißen, jungen Kätzchen.
Ein solches macht' ich einst zu meinem Schätzchen,
Doch tät' mein Schätzchen mir das Herz zerkratzen.

O süßes Frätzchen, wundersüßes Mädchen!
Wie konnte mich dein klares Äuglein täuschen?
Wie konnt' dein Pfötchen mir das Herz zerfleischen?

O meines Kätzchens wunderzartes Pfötchen!
Könnt' ich dich an die glühnden Lippen pressen,
Und könnt' mein Herz verbluten unterdessen!

VIII

Du sahst mich oft im Kampf mit jenen Schlingeln,
Geschminkten Katzen und bebrillten Pudeln,
Die mir den blanken Namen gern besudeln
Und mich so gerne ins Verderben züngeln.

Du sahest oft, wie mich Pedanten hudeln,
Wie Schellenkappenträger mich umklingeln,
Wie gift'ge Schlangen um mein Herz sich ringeln;
Du sahst mein Blut aus tausend Wunden sprudeln.

Du aber standest fest gleich einem Turme;
Ein Leuchtturm war dein Kopf mir in dem Sturme,
Dein treues Herz war mir ein guter Hafen.

Wohl wogt um jenen Hafen wilde Brandung,
Nur wen'ge Schiff' erringen dort die Landung,
Doch ist man dort, so kann man sicher schlafen.

IX

Ich möchte weinen, doch ich kann es nicht;
Ich möcht mich rüstig in die Höhe heben,
Doch kann ich's nicht; am Boden muß ich kleben,
Umkrächzt, umzischt von eklem Wurmgezücht.

Ich möchte gern mein heitres Lebenslicht,
Mein schönes Lieb, allüberall umschweben,
In ihrem selig süßen Hauche leben –
Doch kann ich's nicht, mein krankes Herze bricht.

Aus dem gebrochnen Herzen fühl ich fließen
Mein heißes Blut, ich fühle mich ermatten,
Und vor den Augen wird's mir trüb und trüber.

Und heimlich schauernd sehn ich mich hinüber
Nach jenem Nebelreich, wo stille Schatten
Mit weichen Armen liebend mich umschließen.

Lyrisches Intermezzo [1]

(1822–1823)

PROLOG

Es war mal ein Ritter trübselig und stumm,
Mit hohlen, schneeweißen Wangen;
Er schwankte und schlenderte schlotternd herum,
In dumpfen Träumen befangen.
Er war so hölzern, so täppisch, so links,
Die Blümlein und Mägdlein, die kicherten rings,
Wenn er stolpernd vorbeigegangen.

Oft saß er im finstersten Winkel zu Haus;
Er hatt' sich vor Menschen verkrochen.
Da streckte er sehnend die Arme aus,
Doch hat er kein Wörtlein gesprochen.
Kam aber die Mitternachtstunde heran,
Ein seltsames Singen und Klingen begann –
An die Türe da hört er es pochen.

Da kommt seine Liebste geschlichen herein
Im rauschenden Wellenschaumkleide,

1. Der Titel erklärt sich dadurch, daß die Gedichte dieser Abteilung in dem ersten Druck zwischen den beiden Trauerspielen *Almansor* und *William Ratcliff* eingefügt worden waren.

Sie blüht und glüht wie ein Röselein,
Ihr Schleier ist eitel Geschmeide.
Goldlocken umspielen die schlanke Gestalt,
Die Äuglein grüßen mit süßer Gewalt –
In die Arme sinken sich beide.

Der Ritter umschlingt sie mit Liebesmacht,
Der Hölzerne steht jetzt in Feuer,
Der Blasse errötet, der Träumer erwacht,
Der Blöde wird freier und freier.
Sie aber, sie hat ihn gar schalkhaft geneckt,
Sie hat ihm ganz leise den Kopf bedeckt
Mit dem weißen, demantenen Schleier.

In einen kristallenen Wasserpalast
Ist plötzlich gezaubert der Ritter.
Er staunt, und die Augen erblinden ihm fast
Vor alle dem Glanz und Geflitter.
Doch hält ihn die Nixe umarmet gar traut,
Der Ritter ist Bräut'gam, die Nixe ist Braut,
Ihre Jungfraun spielen die Zither.

Sie spielen und singen, und singen so schön,
Und heben zum Tanze die Füße;
Dem Ritter, dem wollen die Sinne vergehn,
Und fester umschließt er die Süße –
Da löschen auf einmal die Lichter aus,
Der Ritter sitzt wieder ganz einsam zu Haus
In dem düstern Poetenstübchen.

Im wunderschönen Monat Mai,
Als alle Knospen sprangen,
Da ist in meinem Herzen
Die Liebe aufgegangen.

Im wunderschönen Monat Mai,
Als alle Vögel sangen,
Da hab ich ihr gestanden
Mein Sehnen und Verlangen.

Aus meinen Tränen sprießen
Viel blühende Blumen hervor,
Und meine Seufzer werden
Ein Nachtigallenchor.

Und wenn du mich liebhast, Kindchen,
Schenk ich dir die Blumen all,
Und vor deinem Fenster soll klingen
Das Lied der Nachtigall.

Wenn ich in deine Augen seh,
So schwindet all mein Leid und Weh;
Doch wenn ich küsse deinen Mund,
So werd ich ganz und gar gesund.

Wenn ich mich lehn an deine Brust,
Kommt's über mich wie Himmelslust;
Doch wenn du sprichst: „Ich liebe dich!",
So muß ich weinen bitterlich.

Lehn deine Wang' an meine Wang',
Dann fließen die Tränen zusammen;
Und an mein Herz drück fest dein Herz,
Dann schlagen zusammen die Flammen!

Und wenn in die große Flamme fließt
Der Strom von unsern Tränen,

Und wenn dich mein Arm gewaltig umschließt –
Sterb ich vor Liebessehnen!

Es stehen unbeweglich
Die Sterne in der Höh'
Viel tausend Jahr' und schauen
Sich an mit Liebesweh.

Sie sprechen eine Sprache,
Die ist so reich, so schön;
Doch keiner der Philologen
Kann diese Sprache verstehn.

Ich aber hab sie gelernet,
Und ich vergesse sie nicht;
Mir diente als Grammatik
Der Herzallerliebsten Gesicht.

Auf Flügeln des Gesanges,
Herzliebchen, trag ich dich fort,
Fort nach den Fluren des Ganges,
Dort weiß ich den schönsten Ort.

Dort liegt ein rotblühender Garten
Im stillen Mondenschein;
Die Lotosblumen erwarten
Ihr trautes Schwesterlein.

Die Veilchen kichern und kosen
Und schaun nach den Sternen empor;
Heimlich erzählen die Rosen
Sich duftende Märchen ins Ohr.

Es hüpfen herbei und lauschen
Die frommen, klugen Gazelln;
Und in der Ferne rauschen
Des heiligen Stromes Welln.

Dort wollen wir niedersinken
Unter dem Palmenbaum,
Und Liebe und Ruhe trinken
Und träumen seligen Traum.

Die Lotosblume ängstigt
Sich vor der Sonne Pracht,
Und mit gesenktem Haupte
Erwartet sie träumend die Nacht.

Der Mond, der ist ihr Buhle,
Er weckt sie mit seinem Licht,
Und ihm entschleiert sie freundlich
Ihr frommes Blumengesicht.

Sie blüht und glüht und leuchtet
Und starret stumm in die Höh';
Sie duftet und weinet und zittert
Vor Liebe und Liebesweh.

Im Rhein, im schönen Strome,
Da spiegelt sich in den Welln
Mit seinem großen Dome
Das große, heilige Köln.

Im Dom, da steht ein Bildnis
Auf goldenem Leder gemalt [1];

1. Von Stephan Lochner (gegen Mitte des 15. Jahrhunderts), ein aus drei Teilen bestehendes Gemälde, auf dessen Flügeln die heilige Ursula

In meines Lebens Wildnis
Hat's freundlich hineingestrahlt.

Es schweben Blumen und Englein
Um Unsre Liebe Frau;
Die Augen, die Lippen, die Wänglein,
Die gleichen der Liebsten genau.

Ich grolle nicht, und wenn das Herz auch bricht,
Ewig verlornes Lieb! ich grolle nicht.
Wie du auch strahlst in Diamantenpracht,
Es fällt kein Strahl in deines Herzens Nacht.

Das weiß ich längst. Ich sah dich ja im Traum,
Und sah die Nacht in deines Herzens Raum,
Und sah die Schlang', die dir am Herzen frißt,
Ich sah, mein Lieb, wie sehr du elend bist.

Ja, du bist elend, und ich grolle nicht; –
Mein Lieb, wir sollen beide elend sein!
Bis uns der Tod das kranke Herze bricht,
Mein Lieb, wir sollen beide elend sein.

Wohl seh ich Spott, der deinen Mund umschwebt,
Und seh dein Auge blitzen trotziglich,
Und seh den Stolz, der deinen Busen hebt –
Und elend bist du doch, elend wie ich.

Unsichtbar zuckt auch Schmerz um deinen Mund,
Verborgne Träne trübt des Auges Schein,

mit ihren Jungfrauen und der heilige Gereon mit der thebaischen Legion und auf dessen Mitte die Jungfrau Maria mit den Heiligen Drei Königen dargestellt ist.

Der stolze Busen hegt geheime Wund' –
Mein Lieb, wir sollen beide elend sein.

Und wüßten's die Blumen, die kleinen,
Wie tief verwundet mein Herz,
Sie würden mit mir weinen,
Zu heilen meinen Schmerz.

Und wüßten's die Nachtigallen,
Wie ich so traurig und krank,
Sie ließen fröhlich erschallen
Erquickenden Gesang.

Und wüßten sie mein Wehe,
Die goldnen Sternelein,
Sie kämen aus ihrer Höhe
Und sprächen Trost mir ein.

Die alle können's nicht wissen,
Nur Eine kennt meinen Schmerz:
Sie hat ja selbst zerrissen,
Zerrissen mir das Herz.

Warum sind denn die Rosen so blaß,
O sprich, mein Lieb, warum?
Warum sind denn im grünen Gras
Die blauen Veilchen so stumm?

Warum singt denn mit so kläglichem Laut
Die Lerche in der Luft?
Warum steigt denn aus dem Balsamkraut
Hervor ein Leichenduft?

Warum scheint denn die Sonn' auf die Au
So kalt und verdrießlich herab?
Warum ist denn die Erde so grau
Und öde wie ein Grab?

Warum bin ich selbst so krank und so trüb,
Mein liebes Liebchen, sprich?
O sprich, mein herzallerliebstes Lieb,
Warum verließest du mich?

Die Linde blühte, die Nachtigall sang,
Die Sonne lachte mit freundlicher Lust;
Da küßtest du mich, und dein Arm mich umschlang,
Da preßtest du mich an die schwellende Brust.

Die Blätter fielen, der Rabe schrie hohl,
Die Sonne grüßte verdrossenen Blicks;
Da sagten wir frostig einander: „Leb wohl!"
Da knickstest du höflich den höflichsten Knicks.

Wir haben viel füreinander gefühlt
Und dennoch uns gar vortrefflich vertragen.
Wir haben oft „Mann und Frau" gespielt
Und dennoch uns nicht gerauft und geschlagen.
Wir haben zusammen gejauchzt und gescherzt
Und zärtlich uns geküßt und geherzt.
Wir haben am Ende aus kindischer Lust
„Verstecken" gespielt in Wäldern und Gründen,
Und haben uns so zu verstecken gewußt,
Daß wir uns nimmermehr wiederfinden.

Mein süßes Lieb, wenn du im Grab,
Im dunkeln Grab wirst liegen,
Dann will ich steigen zu dir hinab,
Und will mich an dich schmiegen.

Ich küsse, umschlinge und presse dich wild,
Du Stille, du Kalte, du Bleiche!
Ich jauchze, ich zittre, ich weine mild,
Ich werde selber zur Leiche.

Die Toten stehn auf, die Mitternacht ruft,
Sie tanzen im luftigen Schwarme;
Wir beide bleiben in der Gruft,
Ich liege in deinem Arme.

Die Toten stehn auf, der Tag des Gerichts
Ruft sie zu Qual und Vergnügen;
Wir beide bekümmern uns um nichts
Und bleiben umschlungen liegen.

Ein Fichtenbaum steht einsam
Im Norden auf kahler Höh'.
Ihn schläfert; mit weißer Decke
Umhüllen ihn Eis und Schnee.

Er träumt von einer Palme,
Die fern im Morgenland
Einsam und schweigend trauert
Auf brennender Felsenwand.

Philister in Sonntagsröcklein
Spazieren durch Wald und Flur;
Sie jauchzen, sie hüpfen wie Böcklein,
Begrüßen die schöne Natur.

Betrachten mit blinzelnden Augen,
Wie alles romantisch blüht;
Mit langen Ohren saugen
Sie ein der Spatzen Lied.

Ich aber verhänge die Fenster
Des Zimmers mit schwarzem Tuch;
Es machen mir meine Gespenster
Sogar einen Tagesbesuch.

Die alte Liebe erscheinet,
Sie stieg aus dem Totenreich;
Sie setzt sich zu mir und weinet
Und macht das Herz mir weich.

Manch Bild vergessener Zeiten
Steigt auf aus seinem Grab
Und zeigt, wie in deiner Nähe
Ich einst gelebet hab.

Am Tage schwankte ich träumend
Durch alle Straßen herum;
Die Leute verwundert mich ansahn,
Ich war so traurig und stumm.

Des Nachts, da war es besser,
Da waren die Straßen leer;
Ich und mein Schatten selbander,
Wir wandelten schweigend einher.

Mit widerhallendem Fußtritt
Wandelt' ich über die Brück';
Der Mond brach aus den Wolken
Und grüßte mit ernstem Blick.

Stehn blieb ich vor deinem Hause
Und starrte in die Höh',
Und starrte nach deinem Fenster –
Das Herz tat mir so weh.

Ich weiß, du hast aus dem Fenster
Gar oft herabgesehn,
Und sahst mich im Mondenlichte
Wie eine Säule stehn.

Ein Jüngling liebt ein Mädchen,
Die hat einen andern erwählt;
Der andre liebt eine andre
Und hat sich mit dieser vermählt.

Das Mädchen heiratet aus Ärger
Den ersten besten Mann,
Der ihr in den Weg gelaufen;
Der Jüngling ist übel dran.

Es ist eine alte Geschichte,
Doch bleibt sie immer neu;
Und wem sie just passieret,
Dem bricht das Herz entzwei.

Aus alten Märchen winkt es
Hervor mit weißer Hand,
Da singt es und da klingt es
Von einem Zauberland:

Wo große Blumen schmachten
Im goldnen Abendlicht
Und zärtlich sich betrachten
Mit bräutlichem Gesicht; –

Wo alle Bäume sprechen
Und singen, wie ein Chor,
Und laute Quellen brechen
Wie Tanzmusik hervor; –

Und Liebesweisen tönen,
Wie du sie nie gehört,
Bis wundersüßes Sehnen
Dich wundersüß betört!

Ach, könnt’ ich dorthin kommen
Und dort mein Herz erfreun
Und aller Qual entnommen
Und frei und selig sein!

Ach! jenes Land der Wonne,
Das seh ich oft im Traum,
Doch kommt die Morgensonne,
Zerfließt’s wie eitel Schaum.

Es leuchtet meine Liebe
In ihrer dunkeln Pracht
Wie ’n Märchen, traurig und trübe,
Erzählt in der Sommernacht.

„Im Zaubergarten wallen
Zwei Buhlen, stumm und allein;
Es singen die Nachtigallen,
Es flimmert der Mondenschein.

Die Jungfrau steht still wie ein Bildnis,
Der Ritter vor ihr kniet.
Da kommt der Riese der Wildnis,
Die bange Jungfrau flieht.

Der Ritter sinkt blutend zur Erde,
Es stolpert der Riese nach Haus" –
Wenn ich begraben werde,
Dann ist das Märchen aus.

Sie saßen und tranken am Teetisch
Und sprachen von Liebe viel.
Die Herren, die waren ästhetisch,
Die Damen von zartem Gefühl.

„Die Liebe muß sein platonisch",
Der dürre Hofrat sprach.
Die Hofrätin lächelt ironisch,
Und dennoch seufzet sie: „Ach!"

Der Domherr öffnet den Mund weit:
„Die Liebe sei nicht zu roh,
Sie schadet sonst der Gesundheit."
Das Fräulein lispelt: „Wieso?"

Die Gräfin spricht wehmütig:
„Die Liebe ist eine Passion!"
Und präsentieret gütig
Die Tasse dem Herrn Baron.

Am Tische war noch ein Plätzchen,
Mein Liebchen, da hast du gefehlt.
Du hättest so hübsch, mein Schätzchen,
Von deiner Liebe erzählt.

Allnächtlich im Traume seh ich dich,
Und sehe dich freundlich grüßen,
Und laut aufweinend stürz ich mich
Zu deinen süßen Füßen.

Du siehst mich an wehmütiglich
Und schüttelst das blonde Köpfchen;
Aus deinen Augen schleichen sich
Die Perlentränentröpfchen.

Du sagst mir heimlich ein leises Wort
Und gibst mir den Strauß von Zypressen.
Ich wache auf, und der Strauß ist fort,
Und das Wort hab ich vergessen.

Es fällt ein Stern herunter
Aus seiner funkelnden Höh'!
Das ist der Stern der Liebe,
Den ich dort fallen seh.

Es fallen vom Apfelbaume
Der Blüten und Blätter viel.
Es kommen die neckenden Lüfte
Und treiben damit ihr Spiel.

Es singt der Schwan im Weiher
Und rudert auf und ab,
Und immer leiser singend
Taucht er ins Flutengrab.

Es ist so still und dunkel!
Verweht ist Blatt und Blüt',
Der Stern ist knisternd zerstoben,
Verklungen das Schwanenlied.

Der Traumgott bracht' mich in ein Riesenschloß,
Wo schwüler Zauberduft und Lichterschimmer
Und bunte Menschenwoge sich ergoß

Durch labyrinthisch vielverschlungne Zimmer.
Die Ausgangspforte sucht der bleiche Troß
Mit Händeringen und mit Angstgewimmer.
Jungfraun und Ritter ragen aus der Menge,
Ich selbst bin fortgezogen im Gedränge.

Doch plötzlich steh ich ganz allein, und seh,
Und staun, wie schnell die Menge konnt' verschwinden,
Und wandre fort allein, und eil, und geh
Durch die Gemächer, die sich seltsam winden.
Mein Fuß wird Blei, im Herzen Angst und Weh,
Verzweifl' ich fast, den Ausgang je zu finden.
Da komm ich endlich an das letzte Tor;
Ich will hinaus – o Gott, wer steht davor!

Es war die Liebste, die am Tore stand,
Schmerz um die Lippen, Sorge auf der Stirne.
Ich soll zurückgehn, winkt sie mit der Hand;
Ich weiß nicht, ob sie warne oder zürne.
Doch aus den Augen bricht ein süßer Brand,
Der mir durchzuckt das Herz und das Gehirne.
Wie sie mich ansah, streng und wunderlich,
Und doch so liebevoll, erwachte ich.

Am Kreuzweg wird begraben,
Wer selber sich brachte um;
Dort wächst eine blaue Blume,
Die Armesünderblum'.

Am Kreuzweg stand ich und seufzte;
Die Nacht war kalt und stumm.
Im Mondschein bewegte sich langsam
Die Armesünderblum'.

Die alten, bösen Lieder,
Die Träume schlimm und arg,
Die laßt uns jetzt begraben,
Holt einen großen Sarg.

Hinein leg ich gar manches,
Doch sag ich noch nicht, was;
Der Sarg muß sein noch größer
Wie's Heidelberger Faß.

Und holt eine Totenbahre
Von Brettern fest und dick;
Auch muß sie sein noch länger
Als wie zu Mainz die Brück'.

Und holt mir auch zwölf Riesen,
Die müssen noch stärker sein
Als wie der heil'ge Christoph
Im Dom zu Köln am Rhein.

Die sollen den Sarg forttragen
Und senken ins Meer hinab,
Denn solchem großen Sarge
Gebührt ein großes Grab.

Wißt ihr, warum der Sarg wohl
So groß und schwer mag sein?
Ich legt' auch meine Liebe
Und meinen Schmerz hinein.

Die Heimkehr[1]
(1823–1824)

In mein gar zu dunkles Leben
Strahlte einst ein süßes Bild;
Nun das süße Bild erblichen,
Bin ich gänzlich nachtumhüllt.

Wenn die Kinder sind im Dunkeln,
Wird beklommen ihr Gemüt,
Und um ihre Angst zu bannen,
Singen sie ein lautes Lied.

Ich, ein tolles Kind, ich singe
Jetzo in der Dunkelheit;
Klingt das Lied auch nicht ergötzlich,
Hat's mich doch von Angst befreit.

Ich weiß nicht, was soll es bedeuten,
Daß ich so traurig bin;
Ein Märchen aus alten Zeiten,
Das kommt mir nicht aus dem Sinn.

Die Luft ist kühl und es dunkelt,
Und ruhig fließt der Rhein;
Der Gipfel des Berges funkelt
Im Abendsonnenschein.

Die schönste Jungfrau sitzet
Dort oben wunderbar,
Ihr goldnes Geschmeide blitzet,
Sie kämmt ihr goldenes Haar.

1. Die Lieder dieser Abteilung sind größtenteils nach Heines Heimkehr ins Elternhaus verfaßt worden; daher die Überschrift.

Sie kämmt es mit goldenem Kamme,
Und singt ein Lied dabei;
Das hat eine wundersame,
Gewaltige Melodei.

Den Schiffer im kleinen Schiffe
Ergreift es mit wildem Weh;
Er schaut nicht die Felsenriffe,
Er schaut nur hinauf in die Höh'.

Ich glaube, die Wellen verschlingen
Am Ende Schiffer und Kahn;
Und das hat mit ihrem Singen
Die Loreley getan.

Mein Herz, mein Herz ist traurig,
Doch lustig leuchtet der Mai;
Ich stehe, gelehnt an der Linde,
Hoch auf der alten Bastei.

Da drunten fließt der blaue
Stadtgraben in stiller Ruh';
Ein Knabe fährt im Kahne
Und angelt und pfeift dazu.

Jenseits erheben sich freundlich,
In winziger, bunter Gestalt,
Lusthäuser und Gärten und Menschen
Und Ochsen und Wiesen und Wald.

Die Mägde bleichen Wäsche,
Und springen im Gras herum;
Das Mühlrad stäubt Diamanten,
Ich höre sein fernes Gesumm.

Am alten grauen Turme
Ein Schilderhäuschen steht;
Ein rotgeröckter Bursche
Dort auf und nieder geht.

Er spielt mit seiner Flinte,
Die funkelt im Sonnenrot,
Er präsentiert und schultert –
Ich wollt', er schösse mich tot.

Als ich auf der Reise zufällig
Der Liebsten Familie fand,
Schwesterchen, Vater und Mutter
Sie haben mich freudig erkannt.

Sie fragten nach meinem Befinden,
Und sagten selber sogleich:
Ich hätte mich gar nicht verändert,
Nur mein Gesicht sei bleich.

Ich fragte nach Muhmen und Basen,
Nach manchem langweil'gen Geselln,
Und nach dem kleinen Hündchen
Mit seinem sanften Belln.

Auch nach der vermählten Geliebten
Fragte ich nebenbei;
Und freundlich gab man zur Antwort,
Daß sie in den Wochen sei.

Und freundlich gratuliert' ich,
Und lispelte liebevoll:
Daß man sie von mir recht herzlich,
Vieltausendmal grüßen soll.

Schwesterchen rief dazwischen:
„Das Hündchen, sanft und klein,
Ist groß und toll geworden,
Und ward ertränkt im Rhein.“

Die Kleine gleicht der Geliebten,
Besonders wenn sie lacht;
Sie hat dieselben Augen,
Die mich so elend gemacht.

Wir saßen am Fischerhause
Und schauten nach der See;
Die Abendnebel kamen
Und stiegen in die Höh’.

Im Leuchtturm wurden die Lichter
Allmählich angesteckt,
Und in der weiten Ferne
Ward noch ein Schiff entdeckt.

Wir sprachen von Sturm und Schiffbruch,
Vom Seemann, und wie er lebt
Und zwischen Himmel und Wasser
Und Angst und Freude schwebt.

Wir sprachen von fernen Küsten,
Vom Süden und vom Nord,
Und von den seltsamen Völkern
Und seltsamen Sitten dort.

Am Ganges duftet’s und leuchtet’s
Und Riesenbäume blühn
Und schöne, stille Menschen
Vor Lotosblumen knien.

In Lappland sind schmutzige Leute,
Plattköpfig, breitmäulig und klein;
Sie kauern ums Feuer und backen
Sich Fische und quäken und schrein.

Die Mädchen horchten ernsthaft,
Und endlich sprach niemand mehr;
Das Schiff war nicht mehr sichtbar,
Es dunkelte gar zu sehr.

Du schönes Fischermädchen,
Treibe den Kahn ans Land;
Komm zu mir und setze dich nieder,
Wir kosen Hand in Hand.

Leg an mein Herz dein Köpfchen
Und fürchte dich nicht zu sehr;
Vertraust du dich doch sorglos
Täglich dem wilden Meer.

Mein Herz gleicht ganz dem Meere,
Hat Sturm und Ebb' und Flut,
Und manche schöne Perle
In seiner Tiefe ruht.

Der Mond ist aufgegangen
Und überstrahlt die Welln;
Ich halte mein Liebchen umfangen,
Und unsre Herzen schwelln.

Im Arm des holden Kindes
Ruh ich allein am Strand; –
„Was horchst du beim Rauschen des Windes?
Was zuckt deine weiße Hand?" –

„Das ist kein Rauschen des Windes,
Das ist der Seejungfern Gesang,
Und meine Schwestern sind es,
Die einst das Meer verschlang.“

Der Wind zieht seine Hosen an,
Die weißen Wasserhosen!
Er peitscht die Wellen, so stark er kann,
Die heulen und brausen und tosen.

Aus dunkler Höh’ mit wilder Macht
Die Regengüsse träufen;
Es ist, als wollt’ die alte Nacht
Das alte Meer ersäufen.

An den Mastbaum klammert die Möwe sich
Mit heiserem Schrillen und Schreien;
Sie flattert und will gar ängstiglich
Ein Unglück prophezeien.

Das Meer erglänzte weit hinaus
Im letzten Abendscheine;
Wir saßen am einsamen Fischerhaus,
Wir saßen stumm und alleine.

Der Nebel stieg, das Wasser schwoll,
Die Möwe flog hin und wieder;
Aus deinen Augen liebevoll
Fielen die Tränen nieder.

Ich sah sie fallen auf deine Hand
Und bin aufs Knie gesunken;
Ich hab von deiner weißen Hand,
Die Tränen fortgetrunken.

Seit jener Stunde verzehrt sich mein Leib,
Die Seele stirbt vor Sehnen; –
Mich hat das unglücksel'ge Weib
Vergiftet mit ihren Tränen.

Da droben auf jenem Berge,
Da steht ein feines Schloß,
Da wohnen drei schöne Fräulein,
Von denen ich Liebe genoß.

Sonnabend küßte mich Jette,
Und Sonntag die Julia,
Und Montag die Kunigunde,
Die hat mich erdrückt beinah.

Doch Dienstag war eine Fete
Bei meinen drei Fräulein im Schloß;
Die Nachbarschafts-Herren und -Damen,
Die kamen zu Wagen und Roß.

Ich aber war nicht geladen,
Und das habt ihr dumm gemacht!
Die zischelnden Muhmen und Basen,
Die merkten's und haben gelacht.

Sei mir gegrüßt, du große,
Geheimnisvolle Stadt,
Die einst in ihrem Schoße
Mein Liebchen umschlossen hat.

Sagt an, ihr Türme und Tore,
Wo ist die Liebste mein?
Euch hab ich sie anvertrauet,
Ihr solltet mir Bürge sein.

Unschuldig sind die Türme,
Sie konnten nicht von der Stell',
Als Liebchen mit Koffern und Schachteln
Die Stadt verlassen so schnell.

Die Tore jedoch, die ließen
Mein Liebchen entwischen gar still;
Ein Tor ist immer willig,
Wenn eine Törin will.

Still ist die Nacht, es ruhen die Gassen,
In diesem Hause wohnte mein Schatz;
Sie hat schon längst die Stadt verlassen,
Doch steht noch das Haus auf demselben Platz.

Da steht auch ein Mensch und starrt in die Höhe
Und ringt die Hände vor Schmerzensgewalt;
Mir graust es, wenn ich sein Antlitz sehe –
Der Mond zeigt mir meine eigne Gestalt.

Du Doppeltgänger! du bleicher Geselle!
Was äffst du nach mein Liebesleid,
Das mich gequält auf dieser Stelle
So manche Nacht in alter Zeit!

Die Jungfrau schläft in der Kammer,
Der Mond schaut zitternd hinein;
Da draußen singt es und klingt es
Wie Walzermelodein.

„Ich will mal schaun aus dem Fenster,
Wer drunten stört meine Ruh'."
Da steht ein Totengerippe,
Und fiedelt und singt dazu:

„Hast einst mir den Tanz versprochen,
Und hast gebrochen dein Wort,
Und heut ist Ball auf dem Kirchhof,
Komm mit, wir tanzen dort."

Die Jungfrau ergreift es gewaltig,
Es lockt sie hervor aus dem Haus;
Sie folgt dem Gerippe, das singend
Und fiedelnd schreitet voraus.

Es fiedelt und tänzelt und hüpfet
Und klappert mit seinem Gebein
Und nickt und nickt mit dem Schädel
Unheimlich im Mondenschein.

Ich unglücksel'ger Atlas! eine Welt,
Die ganze Welt der Schmerzen, muß ich tragen,
Ich trage Unerträgliches, und brechen
Will mir das Herz im Leibe.

Du stolzes Herz, du hast es ja gewollt!
Du wolltest glücklich sein, unendlich glücklich,
Oder unendlich elend, stolzes Herz,
Und jetzo bist du elend.

Die Jahre kommen und gehen,
Geschlechter steigen ins Grab,
Doch nimmer vergeht die Liebe,
Die ich im Herzen hab.

Nur einmal noch möcht ich dich sehen
Und sinken vor dir aufs Knie,
Und sterbend zu dir sprechen:
„Madame, ich liebe Sie!"

Was will die einsame Träne?
Sie trübt mir ja den Blick.
Sie blieb aus alten Zeiten
In meinem Auge zurück.

Sie hatte viel leuchtende Schwestern,
Die alle zerflossen sind,
Mit meinen Qualen und Freuden
Zerflossen in Nacht und Wind.

Wie Nebel sind auch zerflossen
Die blauen Sternelein,
Die mir jene Freuden und Qualen
Gelächelt ins Herz hinein.

Ach, meine Liebe selber
Zerfloß wie eitel Hauch!
Du alte, einsame Träne,
Zerfließe jetzunder auch!

Das ist ein schlechtes Wetter,
Es regnet und stürmt und schneit;
Ich sitze am Fenster und schaue
Hinaus in die Dunkelheit.

Da schimmert ein einsames Lichtchen,
Das wandelt langsam fort;
Ein Mütterchen mit dem Laternchen
Wankt über die Straße dort.

Ich glaube, Mehl und Eier
Und Butter kaufte sie ein;
Sie will einen Kuchen backen
Fürs große Töchterlein.

Die liegt zu Haus im Lehnstuhl
Und blinzelt schläfrig ins Licht;
Die goldnen Locken wallen
Über das süße Gesicht.

Sie liebten sich beide, doch keiner
Wollt' es dem andern gestehn;
Sie sahen sich an so feindlich,
Und wollten vor Liebe vergehn.

Sie trennten sich endlich und sahn sich
Nur noch zuweilen im Traum;
Sie waren längst gestorben,
Und wußten es selber kaum.

Ich rief den Teufel, und er kam,
Und ich sah ihn mit Verwundrung an.
Er ist nicht häßlich und ist nicht lahm,
Er ist ein lieber, charmanter Mann,
Ein Mann in seinen besten Jahren,
Verbindlich und höflich und welterfahren.
Er ist ein gescheuter Diplomat
Und spricht recht schön über Kirch' und Staat.
Blaß ist er etwas, doch ist es kein Wunder,
Sanskrit und Hegel studiert er jetzunder.
Sein Lieblingspoet ist noch immer Fouqué.
Doch will er nicht mehr mit Kritik sich befassen,
Die hat er jetzt gänzlich überlassen
Der teuren Großmutter Hekate[1].
Er lobte mein juristisches Streben,

1. Bezieht sich auf eine von Adolf Müllner, dem Verfasser der *Schuld*, herausgegebene Zeitschrift *Hekate. Ein literarisches Wochenblatt, redigiert und glossiert von Kotzebues Schatten* (Leipzig 1823).

Hat früher sich auch damit abgegeben.
Er sagte, meine Freundschaft sei
Ihm nicht zu teuer, und nickte dabei
Und frug: ob wir uns früher nicht
Schon einmal gesehn beim span'schen Gesandten?
Und als ich recht besah sein Gesicht,
Fand ich in ihm einen alten Bekannten.

Mein Kind, wir waren Kinder,
Zwei Kinder, klein und froh;
Wir krochen ins Hühnerhäuschen,
Versteckten uns unter das Stroh.

Wir krähten wie die Hähne,
Und kamen Leute vorbei –
„Kikereküh!" sie glaubten,
Es wäre Hahnengeschrei.

Die Kisten auf unserem Hofe,
Die tapezierten wir aus
Und wohnten drin beisammen
Und machten ein vornehmes Haus.

Des Nachbars alte Katze
Kam öfters zum Besuch;
Wir machten ihr Bückling' und Knickse
Und Komplimente genug.

Wir haben nach ihrem Befinden
Besorglich und freundlich gefragt;
Wir haben seitdem dasselbe
Mancher alten Katze gesagt.

Wir saßen auch oft und sprachen
Vernünftig, wie alte Leut',

Und klagten, wie alles besser
Gewesen zu unserer Zeit;

Wie Lieb' und Treu' und Glauben
Verschwunden aus der Welt,
Und wie so teuer der Kaffee,
Und wie so rar das Geld! – – –

Vorbei sind die Kinderspiele,
Und alles rollt vorbei –
Das Geld und die Welt und die Zeiten
Und Glauben und Lieb' und Treu'.

Das Herz ist mir bedrückt, und sehnlich
Gedenke ich der alten Zeit;
Die Welt war damals noch so wöhnlich[1],
Und ruhig lebten hin die Leut'.

Doch jetzt ist alles wie verschoben,
Das ist ein Drängen! eine Not!
Gestorben ist der Herrgott oben,
Und unten ist der Teufel tot.

Und alles schaut so grämlich trübe,
So krausverwirrt und morsch und kalt,
Und wäre nicht das bißchen Liebe,
So gäb' es nirgends einen Halt.

Nun ist es Zeit, daß ich mit Verstand
Mich aller Torheit entled'ge;
Ich hab so lang als ein Komödiant
Mit dir gespielt die Komödie.

1. Gemütlich, behaglich.

Die prächt'gen Kulissen, sie waren bemalt
Im hochromantischen Stile,
Mein Rittermantel hat goldig gestrahlt,
Ich fühlte die feinsten Gefühle.

Und nun ich mich gar säuberlich
Des tollen Tands entled'ge,
Noch immer elend fühl ich mich,
Als spielt' ich noch immer Komödie.

Ach Gott! im Scherz und unbewußt
Sprach ich, was ich gefühlet;
Ich hab mit dem Tod in der eignen Brust
Den sterbenden Fechter gespielet.

Den König Wiswamitra [1],
Den treibt's ohne Rast und Ruh',
Er will durch Kampf und Büßung
Erwerben Wasischtas Kuh.

O König Wiswamitra,
Oh, welch ein Ochs bist du,
Daß du so viel kämpfest und büßest,
Und alles für eine Kuh!

Du bist wie eine Blume
So hold und schön und rein;
Ich schau dich an, und Wehmut
Schleicht mir ins Herz hinein.

1. Der fromme Büßer Wasischta war im Besitze einer göttlichen Kuh, die alle Güter dieser Welt gewähren konnte; der indische König Wiswamitra suchte die Kuh erst durch Bitten, dann durch Gewalt von dem Büßer zu erlangen; aber sie half ihrem Besitzer, Wiswamitra zu überwältigen.

Mir ist, als ob ich die Hände
Aufs Haupt dir legen sollt',
Betend, daß Gott dich erhalte
So rein und schön und hold.

Zu fragmentarisch ist Welt und Leben!
Ich will mich zum deutschen Professor begeben,
Der weiß das Leben zusammenzusetzen,
Und er macht ein verständlich System daraus;
Mit seinen Nachtmützen und Schlafrockfetzen
Stopft er die Lücken des Weltenbaus.

Ich wollt', meine Schmerzen ergössen
Sich all in ein einziges Wort,
Das gäb' ich den lustigen Winden,
Die trügen es lustig fort.

Sie tragen zu dir, Geliebte,
Das schmerzerfüllte Wort;
Du hörst es zu jeder Stunde,
Du hörst es an jedem Ort.

Und hast du zum nächtlichen Schlummer
Geschlossen die Augen kaum,
So wird dich mein Wort verfolgen
Bis in den tiefsten Traum.

Wer zum ersten Male liebt,
Sei's auch glücklos, ist ein Gott;
Aber wer zum zweite Male
Glücklos liebt, der ist ein Narr.

Ich, ein solcher Narr, ich liebe
Wieder ohne Gegenliebe!
Sonne, Mond und Sterne lachen,
Und ich lache mit – und sterbe.

Gaben mir Rat und gute Lehren,
Überschütteten mich mit Ehren,
Sagten, daß ich nur warten sollt',
Haben mich protegieren gewollt.

Aber bei all ihrem Protegieren
Hätte ich können vor Hunger krepieren,
Wär' nicht gekommen ein braver Mann,
Wacker nahm er sich meiner an.

Braver Mann! er schafft mir zu essen!
Will es ihm nie und nimmer vergessen!
Schade, daß ich ihn nicht küssen kann!
Denn ich bin selbst dieser brave Mann.

Wie dunkle Träume stehen
Die Häuser in langer Reih';
Tief eingehüllt im Mantel
Schreite ich schweigend vorbei.

Der Turm der Kathedrale
Verkündet die zwölfte Stund';
Mit ihren Reizen und Küssen
Erwartet mich Liebchen jetzund.

Der Mond ist mein Begleiter,
Er leuchtet mir freundlich vor;
Da bin ich an ihrem Hause,
Und freudig ruf ich empor:

„Ich danke dir, alter Vertrauter,
Daß du meinen Weg erhellt;
Jetzt will ich dich entlassen,
Jetzt leuchte der übrigen Welt!

Und findest du einen Verliebten,
Der einsam klagt sein Leid,
So tröst ihn, wie du mich selber
Getröstet in alter Zeit.“

Selten habt ihr mich verstanden,
Selten auch verstand ich euch,
Nur wenn wir im Kot uns fanden,
So verstanden wir uns gleich.

Doch die Kastraten klagten,
Als ich meine Stimm' erhob;
Sie klagten und sie sagten:
Ich sänge viel zu grob.

Und lieblich erhoben sie alle
Die kleinen Stimmelein,
Die Trillerchen wie Kristalle,
Sie klangen so fein und rein.

Sie sangen von Liebessehnen,
Von Liebe und Liebeserguß;
Die Damen schwammen in Tränen
Bei solchem Kunstgenuß.

Der Tod, das ist die kühle Nacht,
Das Leben ist der schwüle Tag.

Es dunkelt schon, mich schläfert,
Der Tag hat mich müd gemacht.

Über mein Bett erhebt sich ein Baum,
Drin singt die junge Nachtigall;
Sie singt von lauter Liebe,
Ich hör es sogar im Traum.

DIE WALLFAHRT NACH KEVLAAR

1

Am Fenster stand die Mutter,
Im Bette lag der Sohn.
„Willst du nicht aufstehn, Wilhelm,
Zu schaun die Prozession?“ –

„Ich bin so krank, o Mutter,
Daß ich nicht hör und seh;
Ich denk an das tote Gretchen,
Da tut das Herz mir weh.“ –

„Steh auf, wir wollen nach Kevlaar,
Nimm Buch und Rosenkranz;
Die Mutter Gottes heilt dir
Dein krankes Herze ganz.“

Es flattern die Kirchenfahnen,
Es singt im Kirchenton;
Das ist zu Köllen am Rheine,
Da geht die Prozession.

Die Mutter folgt der Menge,
Den Sohn, den führet sie,
Sie singen beide im Chore:
„Gelobt seist du, Marie!“

2

Die Mutter Gottes zu Kevlaar
Trägt heut ihr bestes Kleid;
Heut hat sie viel zu schaffen,
Es kommen viel kranke Leut'.

Die kranken Leute bringen
Ihr dar als Opferspend'
Aus Wachs gebildete Glieder,
Viel wächserne Füß' und Händ'.

Und wer eine Wachshand opfert,
Dem heilt an der Hand die Wund';
Und wer einen Wachsfuß opfert,
Dem wird der Fuß gesund.

Nach Kevlaar ging mancher auf Krücken,
Der jetzo tanzt auf dem Seil,
Gar mancher spielt jetzt die Bratsche,
Dem dort kein Finger war heil.

Die Mutter nahm ein Wachslicht
Und bildete draus ein Herz.
„Bring das der Mutter Gottes,
Dann heilt sie deinen Schmerz."

Der Sohn nahm seufzend das Wachsherz,
Ging seufzend zum Heiligenbild;
Die Träne quillt aus dem Auge,
Das Wort aus dem Herzen quillt:

„Du Hochgebenedeite,
du reine Gottesmagd,
Du Königin des Himmels,
Dir sei mein Leid geklagt!

Ich wohnte mit meiner Mutter
Zu Köllen in der Stadt,
Der Stadt, die viele hundert
Kapellen und Kirchen hat.

Und neben uns wohnte Gretchen,
Doch die ist tot jetzund –
Marie, dir bring ich ein Wachsherz,
Heil du meine Herzenswund'.

Heil du mein krankes Herze,
Ich will auch spät und früh
Inbrünstiglich beten und singen:
‚Gelobt seist du, Marie!'"

3

Der kranke Sohn und die Mutter,
Die schliefen im Kämmerlein;
Da kam die Mutter Gottes
Ganz leise geschritten herein.

Sie beugte sich über den Kranken,
Und legte ihre Hand
Ganz leise auf sein Herze
Und lächelte mild und schwand.

Die Mutter schaut alles im Traume
Und hat noch mehr geschaut;
Sie erwachte aus dem Schlummer,
Die Hunde bellten so laut[1].

Da lag dahingestrecket
Ihr Sohn, und der war tot;

1. Weil sie, nach rheinischem Aberglauben hellsichtig, die Seele des abgeschiedenen Jünglings erblicken.

Es spielt auf den bleichen Wangen
Das lichte Morgenrot.

Die Mutter faltet die Hände,
Ihr war, sie wußte nicht wie;
Andächtig sang sie leise:
„Gelobt seist du, Marie!“

Aus der Harzreise
(1824)

PROLOG

Schwarze Röcke, seidne Strümpfe,
Weiße, höfliche Manschetten,
Sanfte Reden, Embrassieren –
Ach, wenn sie nur Herzen hätten!

Herzen in der Brust, und Liebe,
Warme Liebe in dem Herzen –
Ach, mich tötet ihr Gesinge
Von erlognen Liebesschmerzen.

Auf die Berge will ich steigen,
Wo die frommen Hütten stehen,
Wo die Brust sich frei erschließet
Und die freien Lüfte wehen.

Auf die Berge will ich steigen,
Wo die dunkeln Tannen ragen,
Bäche rauschen, Vögel singen,
Und die stolzen Wolken jagen.

Lebet wohl, ihr glatten Säle,
Glatte Herren, glatte Frauen!
Auf die Berge will ich steigen,
Lachend auf euch niederschauen.

BERGIDYLLE

1

Auf dem Berge steht die Hütte,
Wo der alte Bergmann wohnt;
Dorten rauscht die grüne Tanne
Und erglänzt der goldne Mond.

In der Hütte steht ein Lehnstuhl,
Ausgeschnitzelt wunderlich,
Der darauf sitzt, der ist glücklich,
Und der Glückliche bin ich!

Auf dem Schemel sitzt die Kleine,
Stützt den Arm auf meinen Schoß;
Äuglein wie zwei blaue Sterne,
Mündlein wie die Purpurros'.

Und die lieben blauen Sterne
Schaun mich an so himmelgroß,
Und sie legt den Lilienfinger
Schalkhaft auf die Purpurros'.

„Nein, es sieht uns nicht die Mutter,
Denn sie spinnt mit großem Fleiß,
Und der Vater spielt die Zither,
Und er singt die alte Weis'."

Und die Kleine flüstert leise,
Leise, mit gedämpftem Laut;

Manches wichtige Geheimnis
Hat sie mir schon anvertraut.

„Aber seit die Muhme tot ist,
Können wir ja nicht mehr gehn
Nach dem Schützenhof zu Goslar,
Dorten ist es gar zu schön.

Hier dagegen ist es einsam,
Auf der kalten Bergeshöh',
Und des Winters sind wir gänzlich
Wie begraben in dem Schnee.

Und ich bin ein banges Mädchen,
Und ich fürcht mich wie ein Kind
Vor den bösen Bergesgeistern,
Die des Nachts geschäftig sind."

Plötzlich schweigt die liebe Kleine,
Wie vom eignen Wort erschreckt,
Und sie hat mit beiden Händchen
Ihre Äugelein bedeckt.

Lauter rauscht die Tanne draußen,
Und das Spinnrad schnurrt und brummt,
Und die Zither klingt dazwischen,
Und die alte Weise summt:

„Fürcht dich nicht, du liebes Kindchen,
Vor der bösen Geister Macht!
Tag und Nacht, du liebes Kindchen,
Halten Englein bei dir Wacht!"

2

Tannenbaum, mit grünen Fingern,
Pocht ans niedre Fensterlein,

Und der Mond, der stille Lauscher,
Wirft sein goldnes Licht herein.

Vater, Mutter schnarchen leise
In dem nahen Schlafgemach,
Doch wir beide, selig schwatzend,
Halten uns einander wach.

„Daß du gar zu oft gebetet,
Das zu glauben wird mir schwer,
Jenes Zucken deiner Lippen
Kommt wohl nicht vom Beten her.

Jenes böse, kalte Zucken,
Das erschreckt mich jedesmal,
Doch die dunkle Angst beschwichtigt
Deiner Augen frommer Strahl.

Auch bezweifl' ich, daß du glaubest,
Was so rechter Glauben heißt, –
Glaubst wohl nicht an Gott den Vater,
An den Sohn und Heil'gen Geist?" –

„Ach, mein Kindchen, schon als Knabe,
Als ich saß auf Mutters Schoß,
Glaubte ich an Gott den Vater,
Der da waltet gut und groß;

Der die schöne Erd' erschaffen
Und die schönen Menschen drauf,
Der den Sonnen, Monden, Sternen
Vorgezeichnet ihren Lauf.

Als ich größer wurde, Kindchen,
Noch viel mehr begriff ich schon,
Ich begriff und ward vernünftig,
Und ich glaub auch an den Sohn;

An den lieben Sohn, der liebend
Uns die Liebe offenbart
Und zum Lohne, wie gebräuchlich,
Von dem Volk gekreuzigt ward.

Jetzo, da ich ausgewachsen,
Viel gelesen, viel gereist,
Schwillt mein Herz, und ganz von Herzen
Glaub ich an den Heil'gen Geist.

Dieser tat die größten Wunder,
Und viel größre tut er noch;
Er zerbrach die Zwingherrnburgen
Und zerbrach des Knechtes Joch.

Alte Todeswunden heilt er
Und erneut das alte Recht:
Alle Menschen, gleichgeboren,
Sind ein adliges Geschlecht.

Er verscheucht die bösen Nebel
Und das dunkle Hirngespinst,
Das uns Lieb' und Lust verleidet,
Tag und Nacht uns angegrinst.

Tausend Ritter, wohlgewappnet,
Hat der Heil'ge Geist erwählt,
Seinen Willen zu erfüllen,
Und er hat sie mutbeseelt.

Ihre teuern Schwerter blitzen,
Ihre guten Banner wehn!
Ei, du möchtest wohl, mein Kindchen,
Solche stolze Ritter sehn?

Nun, so schau mich an, mein Kindchen,
Küsse mich und schaue dreist;

Denn ich selber bin ein solcher
Ritter von dem Heil'gen Geist."

3

Still versteckt der Mond sich draußen
Hinterm grünen Tannenbaum,
Und im Zimmer unsre Lampe
Flackert matt und leuchtet kaum.

Aber meine blauen Sterne
Strahlen auf in hellerm Licht,
Und es glühn die Purpurröslein,
Und das liebe Mädchen spricht:

„Kleines Völkchen, Wichtelmännchen,
Stehlen unser Brot und Speck,
Abends liegt es noch im Kasten,
Und des Morgens ist es weg.

Kleines Völkchen, unsre Sahne
Nascht es von der Milch und läßt
Unbedeckt die Schüssel stehen,
Und die Katze säuft den Rest.

Und die Katz' ist eine Hexe,
Denn sie schleicht bei Nacht und Sturm
Drüben nach dem Geisterberge,
Nach dem altverfallnen Turm.

Dort hat einst ein Schloß gestanden,
Voller Lust und Waffenglanz;
Blanke Ritter, Fraun und Knappen
Schwangen sich im Fackeltanz.

Da verwünschte Schloß und Leute
Eine böse Zauberin,

Nur die Trümmer blieben stehen,
Und die Eulen nisten drin.

Doch die sel'ge Muhme sagte:
Wenn man spricht das rechte Wort,
Nächtlich zu der rechten Stunde,
Drüben an dem rechten Ort:

So verwandeln sich die Trümmer
Wieder in ein helles Schloß,
Und es tanzen wieder lustig
Ritter, Fraun und Knappentroß;

Und wer jenes Wort gesprochen,
Dem gehören Schloß und Leut',
Pauken und Trompeten huld'gen
Seiner jungen Herrlichkeit."

Also blühen Märchenbilder
Aus des Mundes Röselein,
Und die Augen gießen drüber
Ihren blauen Sternenschein.

Ihre goldnen Haare wickelt
Mir die Kleine um die Händ',
Gibt den Fingern hübsche Namen,
Lacht und küßt, und schweigt am End'.

Und im stillen Zimmer alles
Blickt mich an so wohlvertraut;
Tisch und Schrank, mir ist, als hätt' ich
Sie schon früher mal geschaut.

Freundlich ernsthaft schwatzt die Wanduhr,
Und die Zither, hörbar kaum,
Fängt von selber an zu klingen,
Und ich sitze wie im Traum.

„Jetzo ist die rechte Stunde,
Und es ist der rechte Ort;
Ja, ich glaube von den Lippen
Gleitet mir das rechte Wort.

Siehst du, Kindchen, wie schon dämmert
Und erbebt die Mitternacht!
Bach und Tannen brausen lauter,
Und der alte Berg erwacht.

Zitherklang und Zwergenlieder
Tönen aus des Berges Spalt,
Und es sprießt, wie 'n toller Frühling,
Draus hervor ein Blumenwald; –

Blumen, kühne Wunderblumen,
Blätter, breit und fabelhaft,
Duftig bunt und hastig regsam,
Wie gedrängt von Leidenschaft.

Rosen, wild wie rote Flammen,
Sprühn aus dem Gewühl hervor;
Lilien, wie kristallne Pfeiler,
Schießen himmelhoch empor.

Und die Sterne, groß wie Sonnen,
Schaun herab mit Sehnsuchtglut;
In der Lilien Riesenkelche
Strömet ihre Strahlenflut.

Doch wir selber, süßes Kindchen,
Sind verwandelt noch viel mehr;
Fackelglanz und Gold und Seide
Schimmern lustig um uns her.

Du, du wurdest zur Prinzessin,
Diese Hütte ward zum Schloß,

Und da jubeln und da tanzen
Ritter, Fraun und Knappentroß.

Aber ich, ich hab erworben
Dich und alles, Schloß und Leut';
Pauken und Trompeten huld'gen
Meiner jungen Herrlichkeit!"

Die Nordsee
(1825–1826)

KRÖNUNG

Ihr Lieder! Ihr meine guten Lieder!
Auf, auf! und wappnet euch!
Laßt die Trompeten klingen
Und hebt mir auf den Schild
Dies junge Mädchen,
Das jetzt mein ganzes Herz
Beherrschen soll, als Königin.

Heil dir! du junge Königin!

Von der Sonne droben
Reiß ich das strahlend rote Gold
Und webe draus ein Diadem
Für dein geweihtes Haupt.
Von der flatternd blauseidnen Himmelsdecke,
Worin die Nachtdiamanten blitzen,
Schneid ich ein kostbar Stück
Und häng es dir, als Krönungsmantel,
Um deine königliche Schulter.
Ich gebe dir einen Hofstaat

Von steifgeputzten Sonetten,
Stolzen Terzinen und höflichen Stanzen;
Als Läufer diene dir mein Witz,
Als Hofnarr meine Phantasie,
Als Herold, die lachende Träne im Wappen,
Diene dir mein Humor.
Aber ich selber, Königin,
Ich kniee vor dir nieder,
Und huld'gend, auf rotem Sammetkissen,
Überreiche ich dir
Das bißchen Verstand,
Das mir aus Mitleid noch gelassen hat
Deine Vorgängerin im Reich.

ABENDDÄMMERUNG

Am blassen Meeresstrande
Saß ich gedankenbekümmert und einsam.
Die Sonne neigte sich tiefer und warf
Glührote Streifen auf das Wasser,
Und die weißen, weiten Wellen,
Von der Flut gedrängt,
Schäumten und rauschten näher und näher –
Ein seltsam Geräusch, ein Flüstern und Pfeifen,
Ein Lachen und Murmeln, Seufzen und Sausen,
Dazwischen ein wiegenliedheimliches Singen –
Mir war, als hört' ich verschollne Sagen,
Uralte, liebliche Märchen,
Die ich einst, als Knabe,
Von Nachbarskindern vernahm,
Wenn wir am Sommerabend,
Auf den Treppensteinen der Haustür,
Zum stillen Erzählen niederkauerten
Mit kleinen, horchenden Herzen
Und neugierklugen Augen; –

Während die großen Mädchen,
Neben duftenden Blumentöpfen,
Gegenüber am Fenster saßen,
Rosengesichter,
Lächelnd und mondbeglänzt.

SONNENUNTERGANG

Die glühend rote Sonne steigt
Hinab ins weit aufschauernde,
Silbergraue Weltmeer;
Luftgebilde, rosig angehaucht,
Wallen ihr nach; und gegenüber,
Aus herbstlich dämmernden Wolkenschleiern,
Ein traurig todblasses Antlitz,
Bricht hervor der Mond,
Und hinter ihm, Lichtfünkchen,
Nebelweit, schimmern die Sterne.

Einst am Himmel glänzten,
Ehlich vereint,
Luna, die Göttin, und Sol, der Gott,
Und es wimmelten um sie her die Sterne,
Die kleinen, unschuldigen Kinder.

Doch böse Zungen zischelten Zwiespalt,
Und es trennte sich feindlich
Das hohe, leuchtende Ehpaar.

Jetzt am Tage, in einsamer Pracht,
Ergeht sich dort oben der Sonnengott,
Ob seiner Herrlichkeit
Angebetet und vielbesungen
Von stolzen, glückgehärteten Menschen.
Aber des Nachts,

Am Himmel, wandelt Luna,
Die arme Mutter,
Mit ihren verwaisten Sternenkindern,
Und sie glänzt in stiller Wehmut,
Und liebende Mädchen und sanfte Dichter
Weihen ihr Tränen und Lieder.

Die weiche Luna! Weiblich gesinnt,
Liebt sie noch immer den schönen Gemahl.
Gegen Abend, zitternd und bleich,
Lauscht sie hervor aus leichtem Gewölk,
Und schaut nach dem Scheidenden, schmerzlich,
Und möchte ihm ängstlich rufen: „Komm!
Komm! die Kinder verlangen nach dir –"
Aber der trotzige Sonnengott,
Bei dem Anblick der Gattin erglüht er
In doppeltem Purpur,
Vor Zorn und Schmerz,
Und unerbittlich eilt er hinab
In sein flutenkaltes Witwerbett.

*

Böse, zischelnde Zungen
Brachten also Schmerz und Verderben
Selbst über ewige Götter.
Und die armen Götter, oben am Himmel
Wandeln sie, qualvoll,
Trostlos unendliche Bahnen,
Und können nicht sterben,
Und schleppen mit sich
Ihr strahlendes Elend.

Ich aber, der Mensch,
Der niedrig gepflanzte, der Tod-beglückte,
Ich klage nicht länger.

DIE NACHT AM STRANDE

Sternlos und kalt ist die Nacht,
Es gärt das Meer;
Und über dem Meer, platt auf dem Bauch,
Liegt der ungestaltete Nordwind,
Und heimlich, mit ächzend gedämpfter Stimme,
Wie 'n störriger Griesgram, der gut gelaunt wird,
Schwatzt er ins Wasser hinein
Und erzählt viel tolle Geschichten,
Riesenmärchen, totschlaglaunig,
Uralte Sagen aus Norweg,
Und dazwischen, weitschallend, lacht er und heult er
Beschwörungslieder der Edda,
Auch Runensprüche,
So dunkeltrotzig und zaubergewaltig,
Daß die weißen Meerkinder
Hoch aufspringen und jauchzen,
Übermut-berauscht.

Derweilen, am flachen Gestade,
Über den flutbefeuchteten Sand,
Schreitet ein Fremdling, mit einem Herzen,
Das wilder noch als Wind und Wellen.
Wo er hintritt,
Sprühen Funken und knistern die Muscheln;
Und er hüllt sich fest in den grauen Mantel
Und schreitet rasch durch die wehende Nacht; –
Sicher geleitet vom kleinen Lichte,
Das lockend und lieblich schimmert
Aus einsamer Fischerhütte.

Vater und Bruder sind auf der See,
Und mutterseelallein blieb dort
In der Hütte die Fischertochter,
Die wunderschöne Fischertochter.
Am Herde sitzt sie

Und horcht auf des Wasserkessels
Ahnungssüßes, heimliches Summen,
Und schüttet knisterndes Reisig ins Feuer,
Und bläst hinein,
Daß die flackernd roten Lichter
Zauberlieblich widerstrahlen
Auf das blühende Antlitz,
Auf die zarte, weiße Schulter,
Die rührend hervorlauscht
Aus dem groben, grauen Hemde,
Und auf die kleine, sorgsame Hand,
Die das Unterröckchen fester bindet
Um die feine Hüfte.

Aber plötzlich, die Tür springt auf,
Und es tritt herein der nächtige Fremdling;
Liebesicher ruht sein Auge
Auf dem weißen, schlanken Mädchen,
Das schauernd vor ihm steht,
Gleich einer erschrockenen Lilie;
Und er wirft den Mantel zur Erde,
Und lacht und spricht:

„Siehst du, mein Kind, ich halte Wort,
Und ich komme, und mit mir kommt
Die alte Zeit, wo die Götter des Himmels
Niederstiegen zu Töchtern der Menschen
Und die Töchter der Menschen umarmten
Und mit ihnen zeugten
Zeptertragende Königsgeschlechter
Und Helden, Wunder der Welt.
Doch staune, mein Kind, nicht länger
Ob meiner Göttlichkeit,
Und ich bitte dich, koche mir Tee mit Rum;
Denn draußen war's kalt,
Und bei solcher Nachtluft
Frieren auch wir, wir ewigen Götter,

Und kriegen wir leicht den göttlichsten Schnupfen
Und einen unsterblichen Husten.“

POSEIDON

Die Sonnenlichter spielten
Über das weithinrollende Meer;
Fern auf der Reede glänzte das Schiff,
Das mich zur Heimat tragen sollte;
Aber es fehlte an gutem Fahrwind,
Und ich saß noch ruhig auf weißer Düne,
Am einsamen Strand,
Und ich las das Lied vom Odysseus,
Das alte, das ewig junge Lied,
Aus dessen meerdurchrauschten Blättern
Mir freudig entgegenstieg
Der Atem der Götter
Und der leuchtende Menschenfrühling
Und der blühende Himmel von Hellas.

Mein edles Herz begleitete treulich
Den Sohn des Laertes, in Irrfahrt und
Drangsal,
Setzte sich mit ihm, seelenbekümmert,
An gastliche Herde,
Wo Königinnen Purpur spinnen [1],
Und half ihm lügen und glücklich entrinnen
Aus Riesenhöhlen [2] und Nymphenarmen [3],
Folgte ihm nach in kimmerische Nacht [4]

1. Bei den Phäaken, wo die Königin Arete, die Mutter der Nausikaa, die „zierliche Spindel mit purpurfarbener Wolle“ drehte.
2. Aus der Höhle des Polyphemos.
3. Aus den Armen der Kirke und der Kalypso.
4. Von dem Land der Kirke fährt Odysseus zuerst zu den Kimmeriern, die am Eingang der Unterwelt in beständiger Nacht leben.

Und in Sturm und Schiffbruch[1]
Und duldete mit ihm unsägliches Elend.

Seufzend sprach ich: „Du böser Poseidon,
Dein Zorn ist furchtbar,
Und mir selber bangt
Ob der eignen Heimkehr.“

Kaum sprach ich die Worte,
Da schäumte das Meer,
Und aus den weißen Wellen stieg
Das schilfbekränzte Haupt des Meergotts,
Und höhnisch rief er:

„Fürchte dich nicht, Poetlein!
Ich will nicht im g'ringsten gefährden
Dein armes Schiffchen,
Und nicht dein liebes Leben beängst'gen
Mit allzu bedenklichem Schaukeln.
Denn du, Poetlein, hast nie mich erzürnt,
Du hast kein einziges Türmchen verletzt
An Priamos' heiliger Feste,
Kein einziges Härchen hast du versengt
Am Aug' meines Sohns Polyphemos,
Und dich hat niemals ratend beschützt
Die Göttin der Klugheit, Pallas Athene.“

Also rief Poseidon
Und tauchte zurück ins Meer;
Und über den groben Seemannswitz
Lachten unter dem Wasser
Amphitrite, das plumpe Fischweib,
Und die dummen Töchter des Nereus.

1. Odysseus erleidet Schiffbruch, nachdem seine Gefährten auf der Insel Thrinakia die heiligen Rinder des Helios getötet hatten.

ERKLÄRUNG

Herangedämmert kam der Abend,
Wilder toste die Flut,
Und ich saß am Strand und schaute zu
Dem weißen Tanz der Wellen,
Und meine Brust schwoll auf wie das Meer,
Und sehnend ergriff mich ein tiefes Heimweh
Nach dir, du holdes Bild,
Das überall mich umschwebt,
Und überall mich ruft,
Überall, überall,
Im Sausen des Windes, im Brausen des Meers,
Und im Seufzen der eigenen Brust.

Mit leichtem Rohr schrieb ich in den Sand:
„Agnes, ich liebe dich!"
Doch böse Wellen ergossen sich
Über das süße Bekenntnis
Und löschten es aus.

Zerbrechliches Rohr, zerstiebender Sand,
Zerfließende Wellen, euch trau ich nicht mehr!
Der Himmel wird dunkler, mein Herz wird wilder,
Und mit starker Hand, aus Norwegs Wäldern,
Reiß ich die höchste Tanne
Und tauche sie ein
In des Ätnas glühenden Schlund, und mit solcher
Feuergetränkten Riesenfeder
Schreib ich an die dunkle Himmelsdecke:
„Agnes, ich liebe dich!"

Jedwede Nacht lodert alsdann
Dort oben die ewige Flammenschrift,
Und alle nachwachsende Enkelgeschlechter
Lesen jauchzend die Himmelsworte:
„Agnes, ich liebe dich!"

STURM

Es wütet der Sturm,
Und er peitscht die Wellen,
Und die Welln, wutschäumend und bäumend,
Türmen sich auf, und es wogen lebendig
Die weißen Wasserberge,
Und das Schifflein erklimmt sie,
Hastig mühsam,
Und plötzlich stürzt es hinab
In schwarze, weitgähnende Flutabgründe –

O Meer!
Mutter der Schönheit, der Schaumentstiegenen!
Großmutter der Liebe! schone meiner!
Schon flattert, leichenwitternd,
Die weiße, gespenstige Möwe
Und wetzt an dem Mastbaum den Schnabel
Und lechzt, voll Fraßbegier, nach dem Herzen,
Das vom Ruhm deiner Tochter ertönt,
Und das dein Enkel, der kleine Schalk,
Zum Spielzeug erwählt.

Vergebens mein Bitten und Flehn!
Mein Rufen verhallt im tosenden Sturm,
Im Schlachtlärm der Winde.
Es braust und pfeift und prasselt und heult,
Wie ein Tollhaus von Tönen!
Und zwischendurch hör ich vernehmbar
Lockende Harfenlaute,
Sehnsuchtwilden Gesang,
Seelenschmelzend und seelenzerreißend,
Und ich erkenne die Stimme.

Fern an schottischer Felsenküste,
Wo das graue Schlößlein hinausragt
Über die brandende See,
Dort, am hochgewölbten Fenster,

Steht eine schöne, kranke Frau,
Zartdurchsichtig und marmorblaß,
Und sie spielt die Harfe und singt,
Und der Wind durchwühlt ihre langen Locken
Und trägt ihr dunkles Lied
Über das weite, stürmende Meer.

SEEGESPENST

Ich aber lag am Rande des Schiffes,
Und schaute, träumenden Auges,
Hinab in das spiegelklare Wasser,
Und schaute tiefer und tiefer –
Bis tief, im Meeresgrunde,
Anfangs wie dämmernde Nebel,
Jedoch allmählich farbenbestimmter,
Kirchenkuppel und Türme sich zeigten,
Und endlich, sonnenklar, eine ganze Stadt,
Altertümlich niederländisch
Und menschenbelebt.
Bedächtige Männer, schwarzbemäntelt,
Mit weißen Halskrausen und Ehrenketten
Und langen Degen und langen Gesichtern,
Schreiten über den wimmelnden Marktplatz
Nach dem treppenhohen Rathaus,
Wo steinerne Kaiserbilder
Wacht halten mit Zepter und Schwert.
Unferne, vor langen Häuserreihn,
Wo spiegelblanke Fenster
Und pyramidisch beschnittene Linden,
Wandeln seidenrauschende Jungfern,
Schlanke Leibchen, die Blumengesichter
Sittsam umschlossen von schwarzen Mützchen
Und hervorquellendem Goldhaar.
Bunte Gesellen, in spanischer Tracht,

Stolzieren vorüber und nicken.
Bejahrte Frauen,
In braunen, verschollnen Gewändern,
Gesangbuch und Rosenkranz in der Hand,
Eilen, trippelnden Schritts,
Nach dem großen Dome,
Getrieben von Glockengeläute
Und rauschendem Orgelton.

Mich selbst ergreift des fernen Klangs
Geheimnisvoller Schauer!
Unendliches Sehnen, tiefe Wehmut
Beschleicht mein Herz,
Mein kaum geheiltes Herz; –
Mir ist, als würden seine Wunden
Von lieben Lippen aufgeküßt
Und täten wieder bluten, –
Heiße, rote Tropfen,
Die lang und langsam niederfalln
Auf ein altes Haus, dort unten
In der tiefen Meerstadt,
Auf ein altes, hochgegiebeltes Haus,
Das melancholisch menschenleer ist,
Nur daß am untern Fenster
Ein Mädchen sitzt,
Den Kopf auf den Arm gestützt,
Wie ein armes, vergessenes Kind –
Und ich kenne dich, armes, vergessenes Kind!

So tief, meertief also
Verstecktest du dich vor mir,
Aus kindischer Laune,
Und konntest nicht mehr herauf,
Und saßest fremd unter fremden Leuten,
Jahrhundertelang,
Derweilen ich, die Seele voll Gram,
Auf der ganzen Erde dich suchte,

Und immer dich suchte,
Du Immergeliebte,
Du Längstverlorene,
Du Endlichgefundene –
Ich hab dich gefunden und schaue wieder
Dein süßes Gesicht,
Die klugen, treuen Augen,
Das liebe Lächeln –
Und nimmer will ich dich wieder verlassen,
Und ich komme hinab zu dir,
Und mit ausgebreiteten Armen
Stürz ich hinab an dein Herz –

Aber zur rechten Zeit noch
Ergriff mich beim Fuß der Kapitän
Und zog mich vom Schiffsrand,
Und rief, ärgerlich lachend:
„Doktor, sind Sie des Teufels?"

REINIGUNG

Bleib du in deiner Meerestiefe,
Wahnsinniger Traum,
Der du einst so manche Nacht
Mein Herz mit falschem Glück gequält hast,
Und jetzt, als Seegespenst,
Sogar am hellen Tag mich bedrohest –
Bleib du dort unten, in Ewigkeit,
Und ich werfe noch zu dir hinab
All meine Schmerzen und Sünden
Und die Schellenkappe der Torheit,
Die so lange mein Haupt umklingelt,
Und die kalte, gleißende Schlangenhaut
Der Heuchelei,
Die mir so lang die Seele umwunden,

Die kranke Seele,
Die gottverleugnende, engelverleugnende,
Unselige Seele –
Hoiho! hoiho! Da kommt der Wind!
Die Segel auf! Sie flattern und schwelln!
Über die stillverderbliche Fläche
Eilet das Schiff,
Und es jauchzt die befreite Seele.

MEERGRUSS [1]

Thalatta! Thalatta!
Sei mir gegrüßt, du ewiges Meer!
Sei mir gegrüßt zehntausendmal,
Aus jauchzendem Herzen,
Wie einst dich begrüßten
Zehntausend Griechenherzen,
Unglückbekämpfende, heimatverlangende,
Weltberühmte Griechenherzen.

Es wogten die Fluten,
Sie wogten und brausten,
Die Sonne goß eilig herunter
Die spielenden Rosenlichter,
Die aufgescheuchten Möwenzüge
Flatterten fort, lautschreiend,

1. Der jüngere Kyros vereinte 401 v. Chr. in seinem Heere, das er gegen seinen Bruder Artaxerxes Mnemon führte, mit einer großen Zahl von Asiaten eine griechische Hilfstruppe von 13000 Mann. Nachdem Kyros' Heer bei Kunaxa in Mesopotamien geschlagen und er selbst getötet worden war, trat der Rest der Griechen (10000) einen beschwerlichen Rückzug nach dem Schwarzen Meer an, das man nicht weit von Trapezunt erreichte. Xenophon, der dabei war, schildert in seiner *Anabasis* (IV, 7), wie die Griechen von einer Höhe im Lande der Macrones aus angesichts des Zieles „Das Meer! Das Meer!" („Thalatta! Thalatta!") ausriefen.

Es stampften die Rosse, es klirrten die Schilde,
Und weithin erscholl es, wie Siegesruf:
„Thalatta! Thalatta!“

Sei mir gegrüßt, du ewiges Meer!
Wie Sprache der Heimat rauscht mir dein Wasser,
Wie Träume der Kindheit seh ich es flimmern
Auf deinem wogenden Wellengebiet,
Und alte Erinnrung erzählt mir aufs neue
Von all dem lieben, herrlichen Spielzeug,
Von all den blinkenden Weihnachtsgaben,
Von all den roten Korallenbäumen,
Goldfischchen, Perlen und bunten Muscheln,
Die du geheimnisvoll bewahrst
Dort unten im klaren Kristallhaus.

Oh! wie hab ich geschmachtet in öder Fremde!
Gleich einer welken Blume
In des Botanikers blecherner Kapsel,
Lag mir das Herz in der Brust.
Mir ist, als saß ich winterlange,
Ein Kranker, in dunkler Krankenstube,
Und nun verlaß ich sie plötzlich,
Und blendend strahlt mir entgegen
Der schmaragdene Frühling, der sonnengeweckte,
Und es rauschen die weißen Blütenbäume,
Und die jungen Blumen schauen mich an,
Mit bunten, duftenden Augen,
Und es duftet und summt und atmet und lacht,
Und im blauen Himmel singen die Vöglein –
„Thalatta! Thalatta!“

Du tapferes Rückzugherz!
Wie oft, wie bitteroft
Bedrängten dich des Nordens Barbarinnen!
Aus großen, siegenden Augen
Schossen sie brennende Pfeile;

Mit krummgeschliffenen Worten
Drohten sie mir die Brust zu spalten;
Mit Keilschriftbilletts zerschlugen sie mir
Das arme, betäubte Gehirn –
Vergebens hielt ich den Schild entgegen,
Die Pfeile zischten, die Hiebe krachten,
Und von des Nordens Barbarinnen
Ward ich gedrängt bis ans Meer,
Und frei aufatmend begrüß ich das Meer,
Das liebe, rettende Meer, –
Thalatta! Thalatta!

DER SCHIFFBRÜCHIGE

Hoffnung und Liebe! Alles zertrümmert!
Und ich selber, gleich einer Leiche,
Die grollend ausgeworfen das Meer,
Lieg ich am Strande,
Am öden, kahlen Strande.
Vor mir woget die Wasserwüste,
Hinter mir liegt nur Kummer und Elend,
Und über mich hin ziehen die Wolken,
Die formlos grauen Töchter der Luft,
Die aus dem Meer in Nebeleimern
Das Wasser schöpfen,
Und es mühsam schleppen und schleppen,
Und es wieder verschütten ins Meer,
Ein trübes, langweil'ges Geschäft,
Und nutzlos, wie mein eignes Leben.

Die Wogen murmeln, die Möwen schrillen,
Alte Erinnrungen wehen mich an,
Vergessene Träume, erloschene Bilder,
Qualvoll süße, tauchen hervor.

Es lebt ein Weib im Norden,
Ein schönes Weib, königlich schön.
Die schlanke Zypressengestalt
Umschließt ein lüstern weißes Gewand;
Die dunkle Lockenfülle,
Wie eine selige Nacht
Von dem flechtengekrönten Haupt sich ergießend,
Ringelt sich träumerisch süß
Um das süße, blasse Antlitz;
Und aus dem süßen, blassen Antlitz,
Groß und gewaltig, strahlt ein Auge,
Wie eine schwarze Sonne.

Oh, du schwarze Sonne, wie oft,
Entzückend oft, trank ich aus dir
Die wilden Begeistrungsflammen,
Und stand und taumelte, feuerberauscht –
Dann schwebte ein taubenmildes Lächeln
Um die hochgeschürzten, stolzen Lippen,
Und die hochgeschürzten, stolzen Lippen
Hauchten Worte, süß wie Mondlicht
Und zart wie der Duft der Rose –
Und meine Seele erhob sich
Und flog, wie ein Aar, hinauf in den Himmel!

Schweigt, ihr Wogen und Möwen!
Vorüber ist alles, Glück und Hoffnung,
Hoffnung und Liebe! Ich liege am Boden,
Ein öder, schiffbrüchiger Mann,
Und drücke mein glühendes Antlitz
In den feuchten Sand.

DER GESANG DER OKEANIDEN

Abendlich blasser wird es am Meer,
Und einsam, mit seiner einsamen Seele,
Sitzt dort ein Mann auf dem kahlen Strand,
Und schaut todkalten Blickes hinauf
Nach der weiten, todkalten Himmelswölbung,
Und schaut auf das weite, wogende Meer, –
Und über das weite, wogende Meer,
Lüftesegler, ziehn seine Seufzer,
Und kehren zurück, trübselig,
Und hatten verschlossen gefunden das Herz,
Worin sie ankern wollten –
Und er stöhnt so laut, daß die weißen Möwen,
Aufgescheucht aus den sandigen Nestern,
Ihn herdenweis umflattern,
Und er spricht zu ihnen die lachenden Worte:

„Schwarzbeinigte Vögel,
Mit weißen Flügeln Meer-überflatternde,
Mit krummen Schnäbeln Seewasser-saufende,
Und tranigtes Robbenfleisch-fressende,
Eur Leben ist bitter wie eure Nahrung!
Ich aber, der Glückliche, koste nur Süßes!
Ich koste den süßen Duft der Rose,
Der Mondschein-gefütterten Nachtigallbraut;
Ich koste noch süßeres Zuckerbackwerk,
Gefüllt mit geschlagener Sahne;
Und das Allersüßeste kost ich,
Süße Liebe und süßes Geliebtsein.

Sie liebt mich! sie liebt mich! die holde Jungfrau!
Jetzt steht sie daheim, am Erker des Hauses,
Und schaut in die Dämmrung hinaus, auf die Landstraß',
Und horcht, und sehnt sich nach mir – wahrhaftig!
Vergebens späht sie umher und sie seufzet,
Und seufzend steigt sie hinab in den Garten,

Und wandelt in Duft und Mondschein,
Und spricht mit den Blumen, erzählet ihnen,
Wie ich, der Geliebte, so lieblich bin
Und so liebenswürdig – wahrhaftig!
Nachher im Bette, im Schlafe, im Traum,
Umgaukelt sie selig mein teures Bild,
Sogar des Morgens, beim Frühstück,
Auf dem glänzenden Butterbrote,
Sieht sie mein lächelndes Antlitz,
Und sie frißt es auf vor Liebe – wahrhaftig!"

Also prahlt er und prahlt er,
Und zwischendrein schrillen die Möwen,
Wie kaltes, ironisches Kichern.
Die Dämmrungsnebel steigen herauf;
Aus violettem Gewölk, unheimlich,
Schaut hervor der grasgelbe Mond!
Hochaufrauschen die Meereswogen,
Und tief aus hochaufrauschendem Meer,
Wehmütig wie flüsternder Windzug,
Tönt der Gesang der Okeaniden,
Der schönen, mitleidigen Wasserfraun,
Vor allen vernehmbar die liebliche Stimme
Der silberfüßigen Peleus-Gattin [1],
Und sie seufzen und singen:

„O Tor, du Tor, du prahlender Tor!
Du kummergequälter!
Dahingemordet sind all deine Hoffnungen,
Die tändelnden Kinder des Herzens,
Und ach! dein Herz, Nioben gleich,
Versteinert vor Gram!
In deinem Haupte wird's Nacht,
Und es zucken hindurch die Blitze des Wahnsinns,

1. Die „silberfüßige" Thetis stimmte beim Tode ihres Sohnes Achilleus, mit ihren Nymphen dem Meere entsteigend, ergreifenden Klagegesang an. *Odyssee*, 24. Ges., V. 47 ff.).

Und du prahlst vor Schmerzen!
O Tor, du Tor, du prahlender Tor!
Halsstarrig bist du wie dein Ahnherr,
Der hohe Titane, der himmlisches Feuer
Den Göttern stahl und den Menschen gab,
Und Geier-gequälet, Felsen-gefesselt,
Olymp-auf trotzte und trotzte und stöhnte,
Daß wir es hörten im tiefen Meer
Und zu ihm kamen mit Trostgesang.
O Tor, du Tor, du prahlender Tor!
Du aber bist ohnmächtiger noch,
Und es wäre vernünftig, du ehrtest die Götter,
Und trügest geduldig die Last des Elends,
Und trügest geduldig so lange, so lange,
Bis Atlas selbst die Geduld verliert,
Und die schwere Welt von den Schultern abwirft
In die ewige Nacht."

So scholl der Gesang der Okeaniden,
Der schönen, mitleidigen Wasserfraun,
Bis lautere Wogen ihn überrauschten –
Hinter die Wolken zog sich der Mond,
Es gähnte die Nacht,
Und ich saß noch lange im Dunkeln und weinte.

DIE GÖTTER GRIECHENLANDS

Vollblühender Mond! In deinem Licht
Wie fließendes Gold erglänzt das Meer;
Wie Tagesklarheit, doch dämmrig verzaubert,
Liegt's über der weiten Strandesfläche;
Und am hellblaun, sternlosen Himmel
Schweben die weißen Wolken,
Wie kolossale Götterbilder
Von leuchtendem Marmor.

Nein, nimmermehr, das sind keine Wolken!
Das sind sie selber, die Götter von Hellas,
Die einst so freudig die Welt beherrschten,
Doch jetzt, verdrängt und verstorben,
Als ungeheure Gespenster dahinziehn
Am mitternächtlichen Himmel.

Staunend und seltsam geblendet, betracht ich
Das luftige Pantheon,
Die feierlich stummen, graunhaft bewegten
Riesengestalten.
Der dort ist Kronion, der Himmelskönig,
Schneeweiß sind die Locken des Haupts,
Die berühmten, Olympos-erschütternden Locken.
Er hält in der Hand den erloschenen Blitz,
In seinem Antlitz liegt Unglück und Gram
Und doch noch immer der alte Stolz.
Das waren bessere Zeiten, o Zeus,
Als du dich himmlisch ergötztest
An Knaben und Nymphen und Hekatomben;
Doch auch die Götter regieren nicht ewig,
Die jungen verdrängen die alten,
Wie du einst selber den greisen Vater
Und deine Titanen-Öhme verdrängt hast,
Jupiter Parricida!
Auch dich erkenn ich, stolze Juno!
Trotz all deiner eifersüchtigen Angst
Hat doch eine andre das Zepter gewonnen,
Und du bist nicht mehr die Himmelskön'gin,
Und dein großes Aug' ist erstarrt,
Und deine Lilienarme sind kraftlos,
Und nimmermehr trifft deine Rache
Die gottbefruchtete Jungfrau
Und den wundertätigen Gottessohn.
Auch dich erkenn ich, Pallas Athene!
Mit Schild und Weisheit konntest du nicht
Abwehren das Götterverderben?

Auch dich erkenn ich, auch dich, Aphrodite,
Einst die goldene! jetzt die silberne!
Zwar schmückt dich noch immer des Gürtels Liebreiz,
Doch graut mir heimlich vor deiner Schönheit,
Und wollt' mich beglücken dein gütiger Leib
Wie andere Helden, ich stürbe vor Angst –
Als Leichengöttin erscheinst du mir,
Venus Libitina[1]!
Nicht mehr mit Liebe blickt nach dir
Dort der schreckliche Ares.
Es schaut so traurig Phöbos Apollo,
Der Jüngling. Es schweigt seine Leir,
Die so freudig erklungen beim Göttermahl.
Noch trauriger schaut Hephaistos,
Und wahrlich! der Hinkende, nimmermehr
Fällt er Heben ins Amt,
Und schenkt geschäftig in der Versammlung
Den lieblichen Nektar – Und längst ist erloschen
Das unauslöschliche Göttergelächter.

Ich hab euch niemals geliebt, ihr Götter!
Denn widerwärtig sind mir die Griechen,
Und gar die Römer sind mir verhaßt.
Doch heil'ges Erbarmen und schauriges Mitleid
Durchströmt mein Herz,
Wenn ich euch jetzt da droben schaue,
Verlassene Götter,
Tote, nachtwandelnde Schatten,
Nebelschwache, die der Wind verscheucht –
Und wenn ich bedenke, wie feig und windig
Die Götter sind, die euch besiegten,
Die neuen, herrschenden, tristen Götter,
Die schadenfrohen im Schafspelz der Demut –
Oh, da faßt mich ein düsterer Groll,

1. Libitina, die römische Göttin der Bestattung, wurde in späterer Zeit der Lubentina, Göttin der Lust, und dann der Venus gleichgesetzt.

Und brechen möcht ich die neuen Tempel,
Und kämpfen für euch, ihr alten Götter,
Für euch und eur gutes ambrosisches Recht,
Und vor euren hohen Altären,
Den wiedergebauten, den opferdampfenden,
Möcht ich selber knieen und beten,
Und flehend die Arme erheben –

Denn immerhin, ihr alten Götter,
Habt ihr's auch ehmals in Kämpfen der Menschen
Stets mit der Partei der Sieger gehalten,
So ist doch der Mensch großmüt'ger als ihr,
Und in Götterkämpfen halt ich es jetzt
Mit der Partei der besiegten Götter.

*

Also sprach ich, und sichtbar erröteten
Droben die blassen Wolkengestalten,
Und schauten mich an wie Sterbende,
Schmerzenverklärt, und schwanden plötzlich.
Der Mond verbarg sich eben
Hinter Gewölk, das dunkler heranzog;
Hochaufrauschte das Meer,
Und siegreich traten hervor am Himmel
Die ewigen Sterne.

FRAGEN

Am Meer, am wüsten, nächtlichen Meer
Steht ein Jüngling-Mann,
Die Brust voll Wehmut, das Haupt voll Zweifel,
Und mit düstern Lippen fragt er die Wogen:

„O löst mir das Rätsel des Lebens,
Das qualvoll uralte Rätsel,

Worüber schon manche Häupter gegrübelt,
Häupter in Hieroglyphenmützen,
Häupter in Turban und schwarzem Barett,
Perückenhäupter und tausend andre
Arme, schwitzende Menschenhäupter –
Sagt mir, was bedeutet der Mensch?
Woher ist er kommen? Wo geht er hin?
Wer wohnt dort oben auf goldenen Sternen?“

Es murmeln die Wogen ihr ew'ges Gemurmel,
Es wehet der Wind, es fliehen die Wolken,
Es blinken die Sterne, gleichgültig und kalt,
Und ein Narr wartet auf Antwort.

IM HAFEN

Glücklich der Mann, der den Hafen erreicht hat,
Und hinter sich ließ das Meer und die Stürme,
Und jetzo warm und ruhig sitzt
Im guten Ratskeller zu Bremen.

Wie doch die Welt so traulich und lieblich
Im Römerglas sich widerspiegelt,
Und wie der wogende Mikrokosmus
Sonnig hinabfließt ins durstige Herz!
Alles erblick ich im Glas,
Alte und neue Völkergeschichte,
Türken und Griechen, Hegel und Gans [1],
Zitronenwälder und Wachtparaden,
Berlin und Schilda und Tunis und Hamburg,
Vor allem aber das Bild der Geliebten,
Das Engelköpfchen auf Rheinweingoldgrund.

1. Eduard Gans (1797-1839), Vertreter der philosophischen Schule in der Rechtswissenschaft, seit 1826 Professor an der Universität Berlin, ein Jugendfreund Heines.

Oh, wie schön! wie schön bist du, Geliebte!
Du bist wie eine Rose!
Nicht wie die Rose von Schiras,
Die Hafis-besungene Nachtigallbraut;
Nicht wie die Rose von Saron,
Die heiligrote, prophetengefeierte; –
Du bist wie die Ros' im Ratskeller zu Bremen.
Das ist die Rose der Rosen,
Je älter sie wird, je lieblicher blüht sie,
Und ihr himmlischer Duft, er hat mich beseligt,
Er hat mich begeistert, er hat mich berauscht,
Und hielt mich nicht fest, am Schopfe fest,
Der Ratskellermeister von Bremen,
Ich wäre gepurzelt!

Der brave Mann! wir saßen beisammen
Und tranken wie Brüder,
Wir sprachen von hohen, heimlichen Dingen,
Wir seufzten und sanken uns in die Arme,
Und er hat mich bekehrt zum Glauben der Liebe, –
Ich trank auf das Wohl meiner bittersten Feinde,
Und allen schlechten Poeten vergab ich,
Wie einst mir selber vergeben soll werden, –
Ich weinte vor Andacht, und endlich
Erschlossen sich mir die Pforten des Heils,
Wo die zwölf Apostel, die heil'gen Stückfässer,
Schweigend pred'gen, und doch so verständlich
Für alle Völker.

Das sind Männer!
Unscheinbar von außen, in hölzernen Röcklein,
Sind sie von innen schöner und leuchtender
Denn all die stolzen Leviten des Tempels
Und des Herodes Trabanten und Höflinge,
Die goldgeschmückten, die purpurgekleideten –
Hab ich doch immer gesagt,
Nicht unter ganz gemeinen Leuten,

Nein, in der allerbesten Gesellschaft
Lebte beständig der König des Himmels!

Halleluja! Wie lieblich umwehen mich
Die Palmen von Beth-El!
Wie duften die Myrrhen von Hebron!
Wie rauscht der Jordan und taumelt vor Freude! –
Auch meine unsterbliche Seele taumelt,
Und ich taumle mit ihr, und taumelnd
Bringt mich die Treppe hinauf, ans Tagslicht,
Der brave Ratskellermeister von Bremen.

Du braver Ratskellermeister von Bremen!
Siehst du, auf den Dächern der Häuser sitzen
Die Engel und sind betrunken und singen;
Die glühende Sonne dort oben
Ist nur eine rote, betrunkene Nase,
Die Nase des Weltgeists;
Und um die rote Weltgeistnase
Dreht sich die ganze betrunkene Welt.

EPILOG

Wie auf dem Felde die Weizenhalmen,
So wachsen und wogen im Menschengeist
Die Gedanken.
Aber die zarten Gedanken der Liebe
Sind wie lustig dazwischenblühende
Rot' und blaue Blumen.

Rot' und blaue Blumen!
Der mürrische Schnitter verwirft euch als nutzlos,
Hölzerne Flegel zerdreschen euch höhnend,
Sogar der hablose Wanderer,
Den eur Anblick ergötzt und erquickt,

Schüttelt das Haupt
Und nennt euch schönes Unkraut.
Aber die ländliche Jungfrau,
Die Kränzewinderin,
Verehrt euch und pflückt euch,
Und schmückt mit euch die schönen Locken,
Und also geziert eilt sie zum Tanzplatz,
Wo Pfeifen und Geigen lieblich ertönen,
Oder zur stillen Buche,
Wo die Stimme des Liebsten noch lieblicher tönt
Als Pfeifen und Geigen.

Aus der Nachlese zum BUCH DER LIEDER

DIE NACHT AUF DEM DRACHENFELS[1]

An Fritz v. B.[2]

Um Mitternacht war schon die Burg erstiegen,
Der Holzstoß flammte auf am Fuß der Mauern,
Und wie die Burschen lustig niederkauern,
Erscholl das Lied von Deutschlands heil'gen Siegen.

Wir tranken Deutschlands Wohl aus Rheinweinkrügen,
Wir sahn den Burggeist auf dem Turme lauern,
Viel dunkle Ritterschatten uns umschauern,
Viel Nebelfraun bei uns vorüberfliegen.

Und aus den Trümmern steigt ein tiefes Ächzen,
Es klirrt und rasselt, und die Eulen krächzen;
Dazwischen heult des Nordsturms Wutgebrause.

Sieh nun, mein Freund! so eine Nacht durchwacht' ich
Auf hohem Drachenfels, doch leider bracht' ich
Den Schnupfen und den Husten mit nach Hause.

SEEKRANKHEIT

Die grauen Nachmittagswolken
Senken sich tiefer hinab auf das Meer,

1. Der Drachenfels liegt einige Kilometer von Bonn entfernt, rheinaufwärts, am rechten Ufer; die studentische Feier, auf die Heine Bezug nimmt, fand vermutlich im Mai 1820 statt; Heine blieb mit seinem Freunde J. B. Rousseau nachts auf der Höhe.

2. Fritz von Beughem, mit dem Heine in Bonn befreundet geworden war, war als Referendar beim Oberlandesgericht in Hamm eingetreten. Später, im Herbst 1820, besuchte ihn Heine dort.

Das ihnen dunkel entgegensteigt,
Und zwischendurch jagt das Schiff.

Seekrank sitz ich noch immer am Mastbaum,
Und mache Betrachtungen über mich selber,
Uralte, aschgraue Betrachtungen,
Die schon der Vater Lot gemacht,
Als er des Guten zuviel genossen
Und sich nachher so übel befand.
Mitunter denk ich auch alter Geschichten:
Wie kreuzbezeichnete Pilger der Vorzeit,
Auf stürmischer Meerfahrt, das trostreiche Bildnis
Der heiligen Jungfrau gläubig küßten;
Wie kranke Ritter, in solcher Seenot,
Den lieben Handschuh ihrer Dame
An die Lippen preßten, gleich getröstet –
Ich aber sitze und kaue verdrießlich
Einen alten Hering, den salzigen Tröster
In Katzenjammer und Hundetrübsal!

Unterdessen kämpft das Schiff
Mit der wilden, wogenden Flut;
Wie 'n bäumendes Schlachtroß, stellt es sich jetzt
Auf das Hinterteil, daß das Steuer kracht,
Jetzt stürzt es kopfüber wieder hinab
In den heulenden Wasserschlund,
Dann wieder, wie sorglos liebematt,
Denkt es sich hinzulegen
An den schwarzen Busen der Riesenwelle,
Die mächtig heranbraust,
Und plötzlich, ein wüster Meerwasserfall,
In weißem Gekräusel zusammenstürzt
Und mich selbst mit Schaum bedeckt.

Dieses Schwanken und Schweben und Schaukeln
Ist unerträglich!
Vergebens späht mein Auge und sucht

Die deutsche Küste. Doch, ach! nur Wasser,
Und abermals Wasser, bewegtes Wasser!

Wie der Winterwandrer des Abends sich sehnt
Nach einer warmen, innigen Tasse Tee,
So sehnt sich jetzt mein Herz nach dir,
Mein deutsches Vaterland!
Mag immerhin dein süßer Boden bedeckt sein
Mit Wahnsinn, Husaren, schlechten Versen
Und laulich dünnen Traktätchen;
Mögen immerhin deine Zebras
Mit Rosen sich mästen, statt mit Disteln;
Mögen immerhin deine noblen Affen
In müßigem Putz sich vornehm spreizen,
Und sich besser dünken, als all das andre
Banausisch schwerhinwandelnde Hornvieh;
Mag immerhin deine Schneckenversammlung[1]
Sich für unsterblich halten,
Weil sie so langsam dahinkriecht,
Und mag sie täglich Stimmen sammeln,
Ob den Maden des Käses der Käse gehört?
Und noch lange Zeit in Beratung ziehn,
Wie man die ägyptischen Schafe veredle,
Damit ihre Wolle sich beßre
Und der Hirt sie scheren könne wie andre,
Ohn' Unterschied –
Immerhin, mag Torheit und Unrecht
Dich ganz bedecken, o Deutschland!
Ich sehne mich dennoch nach dir:
Denn wenigstens bist du doch festes Land.

1. Der Bundestag.

Aus Neue Gedichte

Neuer Frühling

Unterm weißen Baume sitzend
Hörst du fern die Winde schrillen,
Siehst, wie oben stumme Wolken
Sich in Nebeldecken hüllen;

Siehst, wie unten ausgestorben
Wald und Flur, wie kahl geschoren; –
Um dich Winter, in dir Winter,
Und dein Herz ist eingefroren.

Plötzlich fallen auf dich nieder
Weiße Flocken, und verdrossen
Meinst du schon, mit Schneegestöber
Hab' der Baum dich übergossen.

Die schönen Augen der Frühlingsnacht,
Sie schauen so tröstend nieder:
Hat dich die Liebe so kleinlich gemacht,
Die Liebe sie hebt dich wieder.

Auf grüner Linde sitzt und singt
Die süße Philomele;
Wie mir das Lied zur Seele dringt,
So dehnt sich wieder die Seele.

Gekommen ist der Maie,
Die Blumen und Bäume blühn,

Und durch die Himmelsbläue
Die rosigen Wolken ziehn.

Die Nachtigallen singen
Herab aus der laubigen Höh',
Die weißen Lämmer springen
Im weichen grünen Klee.

Ich kann nicht singen und springen,
Ich liege krank im Gras;
Ich höre fernes Klingen,
Mir träumt, ich weiß nicht was.

Leise zieht durch mein Gemüt
Liebliches Geläute.
Klinge, kleines Frühlingslied,
Kling hinaus ins Weite.

Kling hinaus, bis an das Haus,
Wo die Blumen sprießen.
Wenn du eine Rose schaust,
Sag, ich laß sie grüßen.

Der Schmetterling ist in die Rose verliebt,
Umflattert sie tausendmal,
Ihn selber aber, goldig zart,
Umflattert der liebende Sonnenstrahl.

Jedoch, in wen ist die Rose verliebt?
Das wüßt' ich gar zu gern.
Ist es die singende Nachtigall?
Ist es der schweigende Abendstern?

Ich weiß nicht, in wen die Rose verliebt;
Ich aber lieb euch all:
Rose, Schmetterling, Sonnenstrahl,
Abendstern und Nachtigall.

„Im Anfang war die Nachtigall
Und sang das Wort: ‚Züküht! Züküht!'
Und wie sie sang, sproß überall
Grüngras, Viole, Apfelblüt'.

Sie biß sich in die Brust, da floß
Ihr rotes Blut, und aus dem Blut
Ein schöner Rosenbaum entsproß;
Dem singt sie ihre Liebesglut.

Uns Vögel all in diesem Wald
Versöhnt das Blut aus jener Wund';
Doch wenn das Rosenlied verhallt,
Geht auch der ganze Wald zugrund'."

So spricht zu seinem Spätzelein
Im Eichennest der alte Spatz;
Die Spätzin piepet manchmal drein,
Sie hockt auf ihrem Ehrenplatz.

Sie ist ein häuslich gutes Weib
Und brütet brav und schmollet nicht;
Der Alte gibt zum Zeitvertreib
Den Kindern Glaubensunterricht.

Ach, ich sehne mich nach Tränen,
Liebestränen, schmerzenmild,
Und ich fürchte, dieses Sehnen
Wird am Ende noch erfüllt.

Ach, der Liebe süßes Elend
Und der Liebe bittre Lust
Schleicht sich wieder, himmlisch quälend,
In die kaum genesne Brust.

Die schlanke Wasserlilie
Schaut träumend empor aus dem See;
Da grüßt der Mond herunter
Mit lichtem Liebesweh.

Verschämt senkt sie das Köpfchen
Wieder hinab zu den Welln –
Da sieht sie zu ihren Füßen
Den armen blassen Geselln.

Was treibt dich umher in der Frühlingsnacht?
Du hast die Blumen toll gemacht,
Die Veilchen, sie sind erschrocken!
Die Rosen, sie sind vor Scham so rot,
Die Lilien, sie sind so blaß wie der Tod,
Sie klagen und zagen und stocken!

Oh, lieber Mond, welch frommes Geschlecht
Sind doch die Blumen! Sie haben recht,
Ich habe Schlimmes verbrochen!
Doch konnt' ich wissen, daß sie gelauscht,
Als ich von glühender Liebe berauscht,
Mit den Sternen droben gesprochen?

Wieder ist das Herz bezwungen,
Und der öde Groll verrauchet,

Wieder zärtliche Gefühle
Hat der Mai mir eingehauchet.

Spät und früh durcheil ich wieder
Die besuchtesten Alleen,
Unter jedem Strohhut such ich
Meine Schöne zu erspähen.

Wieder an dem grünen Flusse,
Wieder steh ich an der Brücke –
Ach, vielleicht fährt sie vorüber,
Und mich treffen ihre Blicke.

Im Geräusch des Wasserfalles
Hör ich wieder leises Klagen,
Und mein schönes Herz versteht es,
Was die weißen Wellen sagen.

Wieder in verschlungnen Gängen
Hab ich träumend mich verloren,
Und die Vögel in den Büschen
Spotten des verliebten Toren.

Die Rose duftet – doch ob sie empfindet
Das, was sie duftet, ob die Nachtigall
Selbst fühlt, was sich durch unsre Seele windet
Bei ihres Liedes süßem Widerhall; –

Ich weiß es nicht. Doch macht uns gar verdrießlich
Die Wahrheit oft! Und Ros' und Nachtigall,
Erlögen sie auch das Gefühl, ersprießlich
Wär' solche Lüge, wie in manchem Fall –

Weil ich dich liebe, muß ich fliehend
Dein Antlitz meiden – zürne nicht.
Wie paßt dein Antlitz, schön und blühend,
Zu meinem traurigen Gesicht!

Weil ich dich liebe, wird so bläßlich,
So elend mager mein Gesicht –
Du fändest mich am Ende häßlich –
Ich will dich meiden – zürne nicht.

Wie des Mondes Abbild zittert
In den wilden Meereswogen,
Und er selber still und sicher
Wandelt an dem Himmelsbogen:

Also wandelst du, Geliebte,
Still und sicher, und es zittert
Nur dein Abbild mir im Herzen,
Weil mein eignes Herz erschüttert.

Hab ich nicht dieselben Träume
Schon geträumt von diesem Glücke?
Waren's nicht dieselben Bäume,
Blumen, Küsse, Liebesblicke?

Schien der Mond nicht durch die Blätter
Unsrer Laube hier am Bache?
Hielten nicht die Marmorgötter
Vor dem Eingang stille Wache?

Ach! ich weiß, wie sich verändern
Diese allzu holden Träume,
Wie mit kalten Schneegewändern
Sich umhüllen Herz und Bäume;

Wie wir selber dann erkühlen
Und uns fliehen und vergessen,
Wir, die jetzt so zärtlich fühlen,
Herz an Herz so zärtlich pressen.

Es war ein alter König,
Sein Herz war schwer, sein Haupt war grau;
Der arme alte König,
Er nahm eine junge Frau.

Es war ein schöner Page,
Blond war sein Haupt, leicht war sein Sinn;
Er trug die seidne Schleppe
Der jungen Königin.

Kennst du das alte Liedchen?
Es klingt so süß, es klingt so trüb!
Sie mußten beide sterben,
Sie hatten sich viel zu lieb.

In meiner Erinnrung erblühen
Die Bilder, die längst verwittert –
Was ist in deiner Stimme,
Das mich so tief erschüttert?

Sag nicht, daß du mich liebst!
Ich weiß, das Schönste auf Erden,
Der Frühling und die Liebe,
Es muß zuschanden werden.

Sag nicht, daß du mich liebst!
Und küsse nur und schweige,
Und lächle, wenn ich dir morgen
Die welken Rosen zeige.

„Mondscheintrunkne Lindenblüten,
Sie ergießen ihre Düfte,
Und von Nachtigallenliedern
Sind erfüllet Laub und Lüfte.

Lieblich läßt es sich, Geliebter,
Unter dieser Linde sitzen,
Wenn die goldnen Mondeslichter
Durch des Baumes Blätter blitzen.

Sieh dies Lindenblatt! du wirst es
Wie ein Herz gestaltet finden;
Darum sitzen die Verliebten
Auch am liebsten unter Linden.

Doch du lächelst, wie verloren
In entfernten Sehnsuchtträumen –
Sprich, Geliebter, welche Wünsche
Dir im lieben Herzen keimen?" –

„Ach, ich will es dir, Geliebte,
Gern bekennen, ach, ich möchte,
Daß ein kalter Nordwind plötzlich
Weißes Schneegestöber brächte;

Und daß wir, mit Pelz bedecket
Und im buntgeschmückten Schlitten,
Schellenklingelnd, peitschenknallend,
Über Fluß und Fluren glitten."

Sorge nie, daß ich verrate
Meine Liebe vor der Welt,
Wenn mein Mund ob deiner Schönheit
Von Metaphern überquellt.

Unter einem Wald von Blumen
Liegt, in still verborgner Hut,
Jenes glühende Geheimnis,
Jene tief geheime Glut.

Sprühn einmal verdächt'ge Funken
Aus den Rosen – sorge nie!
Diese Welt glaubt nicht an Flammen
Und sie nimmt's für Poesie.

Spätherbstnebel, kalte Träume,
Überfloren Berg und Tal,
Sturm entblättert schon die Bäume,
Und sie schaun gespenstisch kahl.

Nur ein einz'ger, traurig schweigsam
Einz'ger Baum steht unentlaubt,
Feucht von Wehmutstränen gleichsam,
Schüttelt er sein grünes Haupt.

Ach, mein Herz gleicht dieser Wildnis,
Und der Baum, den ich dort schau
Sommergrün, das ist dein Bildnis,
Vielgeliebte, schöne Frau!

Verschiedene

Schattenküsse, Schattenliebe,
Schattenleben, wunderbar!
Glaubst du, Närrin, alles bliebe
Unverändert, ewig wahr?

Was wir lieblich fest besessen
Schwindet hin wie Träumerein,
Und die Herzen, die vergessen,
Und die Augen schlafen ein.

Das Fräulein stand am Meere
Und seufzte lang und bang,
Es rührte sie so sehre
Der Sonnenuntergang.

„Mein Fräulein! sei'n Sie munter,
Das ist ein altes Stück;
Hier vorne geht sie unter
Und kehrt von hinten zurück."

Mit schwarzen Segeln segelt mein Schiff
Wohl über das wilde Meer;
Du weißt, wie sehr ich traurig bin,
Und kränkst mich doch so schwer.

Dein Herz ist treulos wie der Wind
Und flattert hin und her;
Mit schwarzen Segeln segelt mein Schiff
Wohl über das wilde Meer.

Es ragt ins Meer der Runenstein,
Da sitz ich mit meinen Träumen.
Es pfeift der Wind, die Möwen schrein,
Die Wellen, die wandern und schäumen.

Ich habe geliebt manch schönes Kind
Und manchen guten Gesellen –

Wo sind sie hin? Es pfeift der Wind,
Es schäumen und wandern die Wellen.

Das Meer erstrahlt im Sonnenschein,
Als ob es golden wär'.
Ihr Brüder, wenn ich sterbe,
Versenkt mich in das Meer.

Hab immer das Meer so lieb gehabt,
Es hat mit sanfter Flut
So oft mein Herz gekühlet;
Wir waren einander gut.

Wenn ich, beseligt von schönen Küssen,
In deinen Armen mich wohl befinde,
Dann mußt du mir nie von Deutschland reden; –
Ich kann's nicht vertragen – es hat seine Gründe.

Ich bitte dich, laß mich mit Deutschland in Frieden!
Du mußt mich nicht plagen mit ewigen Fragen
Nach Heimat, Sippschaft und Lebensverhältnis; –
Es hat seine Gründe – ich kann's nicht vertragen.

Die Eichen sind grün, und blau sind die Augen
Der deutschen Frauen; sie schmachten gelinde
Und seufzen von Liebe, Hoffnung und Glauben; –
Ich kann's nicht vertragen – es hat seine Gründe.

Schaff mich nicht ab, wenn auch den Durst
Gelöscht der holde Trunk;
Behalt mich noch ein Vierteljahr,
Dann hab auch ich genung.

Kannst du nicht mehr Geliebte sein,
Sei Freundin mir sodann;
Hat man die Liebe durchgeliebt,
Fängt man die Freundschaft an.

Wir standen an der Straßeneck'
Wohl über eine Stunde;
Wir sprachen voller Zärtlichkeit
Von unsrem Seelenbunde.

Wir sagten uns vielhundertmal,
Daß wir einander lieben;
Wir standen an der Straßeneck',
Und sind da stehn geblieben.

Die Göttin der Gelegenheit,
Wie 'n Zöfchen, flink und heiter,
Kam sie vorbei und sah uns stehn,
Und lachend ging sie weiter.

(Sie spricht:)
„Steht ein Baum im schönen Garten,
Und ein Apfel hängt daran,
Und es ringelt sich am Aste
Eine Schlange, und ich kann
Von den süßen Schlangenaugen
Nimmer wenden meinen Blick,
Und das zischelt so verheißend
Und das lockt wie holdes Glück!"

(Die andre spricht:)
„Dieses ist die Frucht des Lebens,
Koste ihre Süßigkeit,

Daß du nicht so ganz vergebens
Lebtest deine Lebenszeit!
Schönes Kindchen, fromme Taube,
Kost einmal und zittre nicht –
Folge meinem Rat und glaube,
Was die kluge Muhme spricht."

Es kommt zu spät, was du mir lächelst,
Was du mir seufzest, kommt zu spät!
Längst sind gestorben die Gefühle,
Die du so grausam einst verschmäht.

Zu spät kommt deine Gegenliebe!
Es fallen auf mein Herz herab
All deine heißen Liebesblicke,
Wie Sonnenstrahlen auf ein Grab.

Nur wissen möcht' ich: wenn wir sterben,
Wohin dann unsre Seele geht?
Wo ist das Feuer, das erloschen?
Wo ist der Wind, der schon verweht?

Bin ich bei dir, Zank und Not!
Und ich will mich fort begeben!
Doch das Leben ist kein Leben
Fern von dir, es ist der Tod.

Grübelnd lieg ich in der Nacht,
Zwischen Tod und Hölle wählend –
Ach! ich glaube dieses Elend
Hat mich schon verrückt gemacht.

Schon mit ihren schlimmsten Schatten
Schleicht die böse Nacht heran;
Unsre Seelen sie ermatten,
Gähnend schauen wir uns an.

Du wirst alt und ich noch älter,
Unser Frühling ist verblüht.
Du wirst kalt und ich noch kälter,
Wie der Winter näher zieht.

Ach, das Ende ist so trübe!
Nach der holden Liebesnot
Kommen Nöten ohne Liebe,
Nach dem Leben kommt der Tod.

Gesanglos war ich und beklommen
So lange Zeit – nun dicht ich wieder!
Wie Tränen, die uns plötzlich kommen,
So kommen plötzlich auch die Lieder.

Melodisch kann ich wieder klagen
Von großem Lieben, größerm Leiden,
Von Herzen, die sich schlecht vertragen
Und dennoch brechen, wenn sie scheiden.

Manchmal ist mir, als fühlt' ich wehen
Über dem Haupt die deutschen Eichen –
Sie flüstern gar von Wiedersehen –
Das sind nur Träume – sie verbleichen.

Manchmal ist mir, als hört' ich singen
Die alten, deutschen Nachtigallen –
Wie mich die Töne sanft umschlingen! –
Das sind nur Träume – sie verhallen.

Wo sind die Rosen deren Liebe
Mich einst beglückt? – All ihre Blüte
Ist längst verwelkt! – Gespenstisch trübe
Spukt noch ihr Duft mir im Gemüte.

Es treibt dich fort von Ort zu Ort,
Du weißt nicht mal warum;
Im Winde klingt ein sanftes Wort,
Schaust dich verwundert um.

Die Liebe, die dahinten blieb,
Sie ruft dich sanft zurück:
„O komm zurück, ich hab dich lieb,
Du bist mein einz'ges Glück!“

Doch weiter, weiter, sonder Rast,
Du darfst nicht stillestehn;
Was du so sehr geliebet hast,
Sollst du nicht wiedersehn.

Du bist ja heut so grambefangen,
Wie ich dich lange nicht geschaut!
Es perlet still von deinen Wangen,
Und deine Seufzer werden laut.

Denkst du der Heimat, die so ferne,
So nebelferne dir verschwand?
Gestehe mir's, du wärest gerne
Manchmal im teuren Vaterland.

Denkst du der Dame, die so niedlich
Mit kleinem Zürnen dich ergötzt?
Oft zürntest du, dann ward sie friedlich,
Und immer lachtet ihr zuletzt.

Denkst du der Freunde, die da sanken
An deine Brust, in großer Stund'?
Im Herzen stürmten die Gedanken,
Jedoch verschwiegen blieb der Mund.

Denkst du der Mutter und der Schwester?
Mit beiden standest du ja gut.
Ich glaube gar, es schmilzt, mein Bester,
In deiner Brust der wilde Mut!

Denkst du der Vögel und der Bäume
Des schönen Gartens, wo du oft
Geträumt der Liebe junge Träume,
Wo du gezagt, wo du gehofft?

Es ist schon spät. Die Nacht ist helle,
Trübhell gefärbt vom feuchten Schnee.
Ankleiden muß ich mich nun schnelle
Und in Gesellschaft gehn. O weh!

Ich hatte einst ein schönes Vaterland.
Der Eichenbaum
Wuchs dort so hoch, die Veilchen nickten sanft.
Es war ein Traum.

Das küßte mich auf deutsch und sprach auf deutsch
(Man glaubt es kaum
Wie gut es klang) das Wort: „Ich liebe dich!"
Es war ein Traum.

Entflieh mit mir und sei mein Weib
Und ruh an meinem Herzen aus;
Fern in der Fremde sei mein Herz
Dein Vaterland und Vaterhaus.

Gehst du nicht mit, so sterb ich hier
Und du bist einsam und allein;
Und bleibst du auch im Vaterhaus,
Wirst doch wie in der Fremde sein.

Romanzen

CHILDE HAROLD[1]

Eine starke, schwarze Barke
Segelt trauervoll dahin.
Die vermummten und verstummten
Leichenhüter sitzen drin.

Toter Dichter, stille liegt er,
Mit entblößtem Angesicht;
Seine blauen Augen schauen
Immer noch zum Himmelslicht.

Aus der Tiefe klingt's, als riefe
Eine kranke Nixenbraut,
Und die Wellen, sie zerschellen
An dem Kahn wie Klagelaut.

ANNO 1839

Oh, Deutschland, meine ferne Liebe,
Gedenk ich deiner, wein ich fast!

1. Die Leiche Lord Byrons, der am 19. April 1824 in Missolunghi gestorben war, wurde von dem Grafen Pietro Gamba nach England überführt und in Newstead Abbey beigesetzt.

Das muntre Frankreich scheint mir trübe,
Das leichte Volk wird mir zur Last.

Nur der Verstand, so kalt und trocken,
Herrscht in dem witzigen Paris –
Oh, Narrheitsglöcklein, Glaubensglocken,
Wie klingelt ihr daheim so süß!

Höfliche Männer! Doch verdrossen
Geb ich den art'gen Gruß zurück. –
Die Grobheit, die ich einst genossen
Im Vaterland, das war mein Glück!

Lächelnde Weiber! Plappern immer,
Wie Mühlenräder stets bewegt!
Da lob ich Deutschlands Frauenzimmer,
Das schweigend sich zu Bette legt.

Und alles dreht sich hier im Kreise,
Mit Ungestüm, wie 'n toller Traum!
Bei uns bleibt alles hübsch im Gleise,
Wie angenagelt, rührt sich kaum.

Mir ist, als hört' ich fern erklingen
Nachtwächterhörner, sanft und traut;
Nachtwächterlieder hör ich singen,
Dazwischen Nachtigallenlaut.

Dem Dichter war so wohl daheime,
In Schildas teurem Eichenhain!
Dort wob ich meine zarten Reime
Aus Veilchenduft und Mondenschein.

Zur Ollea[1]

ALTES KAMINSTÜCK

Draußen ziehen weiße Flocken
Durch die Nacht, der Sturm ist laut;
Hier im Stübchen ist es trocken,
Warm und einsam, stillvertraut.

Sinnend sitz ich auf dem Sessel,
An dem knisternden Kamin,
Kochend summt der Wasserkessel
Längst verklungne Melodien.

Und ein Kätzchen sitzt daneben,
Wärmt die Pfötchen an der Glut;
Und die Flammen schweben, weben,
Wundersam wird mir zumut.

Dämmernd kommt heraufgestiegen
Manche längst vergeßne Zeit,
Wie mit bunten Maskenzügen
Und verblichner Herrlichkeit.

Schöne Fraun mit kluger Miene
Winken süßgeheimnisvoll,
Und dazwischen Harlekine
Springen, lachen, lustigtoll.

Ferne grüßen Marmorgötter,
Traumhaft neben ihnen stehn
Märchenblumen, deren Blätter
In dem Mondenlichte wehn.

1. Für „Olla Potrida", ein spanisches Würzgericht aus verschiedenem Fleisch, im übertragenen Sinne überhaupt ein Allerlei.

Wackelnd kommt herbeigeschwommen
Manches alte Zauberschloß;
Hintendrein geritten kommen
Blanke Ritter, Knappentroß.

Und das alles zieht vorüber,
Schattenhastig übereilt –
Ach! da kocht der Kessel über,
Und das nasse Kätzchen heult.

Zeitgedichte

ADAM DER ERSTE

Du schicktest mit dem Flammenschwert
Den himmlischen Gendarmen
Und jagtest mich aus dem Paradies,
Ganz ohne Recht und Erbarmen!

Ich ziehe fort mit meiner Frau
Nach andren Erdenländern;
Doch daß ich genossen des Wissens Frucht,
Das kannst du nicht mehr ändern.

Du kannst nicht ändern, daß ich weiß,
Wie sehr du klein und nichtig,
Und machst du dich auch noch so sehr
Durch Tod und Donnern wichtig.

O Gott! wie erbärmlich ist doch dies
Consilium abeundi!
Das nenne ich einen Magnifikus
Der Welt, ein Lumen mundi!

Vermissen werde ich nimmermehr
Die paradiesischen Räume;
Das war kein wahres Paradies –
Es gab dort verbotene Bäume.

Ich will mein volles Freiheitsrecht!
Find ich die g'ringste Beschränknis,
Verwandelt sich mir das Paradies
In Hölle und Gefängnis.

ENTARTUNG

Hat die Natur sich auch verschlechtert,
Und nimmt sie Menschenfehler an?
Mich dünkt, die Pflanzen und die Tiere,
Sie lügen jetzt wie jedermann.

Ich glaub nicht an der Lilie Keuschheit.
Es buhlt mit ihr der bunte Geck,
Der Schmetterling; er küßt und flattert
Am End' mit ihrer Unschuld weg.

Von der Bescheidenheit der Veilchen
Halt ich nicht viel. Die kleine Blum',
Mit den koketten Düften lockt sie,
Und heimlich dürstet sie nach Ruhm.

Ich zweifle auch, ob sie empfindet,
Die Nachtigall, das, was sie singt;
Sie übertreibt und schluchzt und trillert
Nur aus Routine, wie mich dünkt.

Die Wahrheit schwindet von der Erde,
Auch mit der Treu' ist es vorbei.
Die Hunde wedeln noch und stinken
Wie sonst, doch sind sie nicht mehr treu.

LEBENSFAHRT[1]

Ein Lachen und Singen! Es blitzen und gaukeln
Die Sonnenlichter. Die Wellen schaukeln
Den lustigen Kahn. Ich saß darin
Mit lieben Freunden und leichtem Sinn.

Der Kahn zerbrach in eitel Trümmer,
Die Freunde waren schlechte Schwimmer,
Sie gingen unter, im Vaterland;
Mich warf der Sturm an den Seinestrand.

Ich hab ein neues Schiff bestiegen,
Mit neuen Genossen; es wogen und wiegen
Die fremden Fluten mich hin und her –
Wie fern die Heimat! mein Herz wie schwer!

Und das ist wieder ein Singen und Lachen –
Es pfeift der Wind, die Planken krachen –
Am Himmel erlischt der letzte Stern –
Wie schwer mein Herz! die Heimat wie fern!

VERHEISSUNG

Nicht mehr barfuß sollst du traben,
Deutsche Freiheit, durch die Sümpfe,
Endlich kommst du auf die Strümpfe,
Und auch Stiefeln sollst du haben!

Auf dem Haupte sollst du tragen
Eine warme Pudelmütze,
Daß sie dir die Ohren schütze
In den kalten Wintertagen.

1. In Paris 1843 dem dänischen Märchendichter Hans Christian Andersen gewidmet.

Du bekommst sogar zu essen –
Eine große Zukunft naht dir!
Laß dich nur vom welschen Satyr
Nicht verlocken zu Exzessen!

Werde nur nicht dreist und dreister!
Setz nicht den Respekt beiseiten
Vor den hohen Obrigkeiten
Und dem Herren Bürgermeister!

NACHTGEDANKEN[1]

Denk ich an Deutschland in der Nacht,
Dann bin ich um den Schlaf gebracht,
Ich kann nicht mehr die Augen schließen,
Und meine heißen Tränen fließen.

Die Jahre kommen und vergehn!
Seit ich die Mutter nicht gesehn,
Zwölf Jahre sind schon hingegangen;
Es wächst mein Sehnen und Verlangen.

Mein Sehnen und Verlangen wächst.
Die alte Frau hat mich behext,
Ich denke immer an die alte,
Die alte Frau, die Gott erhalte!

Die alte Frau hat mich so lieb,
Und in den Briefen, die sie schrieb,
Seh ich, wie ihre Hand gezittert,
Wie tief das Mutterherz erschüttert.

Die Mutter liegt mir stets im Sinn.
Zwölf lange Jahre flossen hin,

1. Im Sommer 1843 geschrieben; im Herbst desselben Jahres reiste Heine nach Deutschland.

Zwölf lange Jahre sind verflossen,
Seit ich sie nicht ans Herz geschlossen.

Deutschland hat ewigen Bestand,
Es ist ein kerngesundes Land;
Mit seinen Eichen, seinen Linden
Werd ich es immer wiederfinden.

Nach Deutschland lechzt' ich nicht so sehr,
Wenn nicht die Mutter dorten wär';
Das Vaterland wird nie verderben,
Jedoch die alte Frau kann sterben.

Seit ich das Land verlassen hab,
So viele sanken dort ins Grab,
Die ich geliebt – wenn ich sie zähle,
So will verbluten meine Seele.

Und zählen muß ich – Mit der Zahl
Schwillt immer höher meine Qual,
Mir ist, als wälzten sich die Leichen
Auf meine Brust – Gottlob! sie weichen!

Gottlob! durch meine Fenster bricht
Französisch heitres Tageslicht;
Es kommt mein Weib, schön wie der Morgen,
Und lächelt fort die deutschen Sorgen.

Aus der Nachlese zu den Neuen Gedichten

Wenn junge Herzen brechen,
So lachen drob die Sterne,
Sie lachen und sie sprechen
Herab aus der blauen Ferne:

„Die armen Menschen lieben
Sich zwar mit vollen Seelen,
Und müssen sich doch betrüben,
Und gar zu Tode quälen.

Wir haben nie empfunden
Die Liebe, die so verderblich
Den armen Menschen drunten;
Drum sind wir auch unsterblich."

Aus Romanzero

Historien

DER ASRA

Täglich ging die wunderschöne
Sultanstochter auf und nieder
Um die Abendzeit am Springbrunn,
Wo die weißen Wasser plätschern.

Täglich stand der junge Sklave
Um die Abendzeit am Springbrunn,
Wo die weißen Wasser plätschern;
Täglich ward er bleich und bleicher.

Eines Abends trat die Fürstin
Auf ihn zu mit raschen Worten:
„Deinen Namen will ich wissen,
Deine Heimat, deine Sippschaft!“

Und der Sklave sprach: „Ich heiße
Mohamet, ich bin aus Jemen,
Und mein Stamm sind jene Asra,
Welche sterben, wenn sie lieben.“

PFALZGRÄFIN JUTTA

Pfalzgräfin Jutta fuhr über den Rhein,
Im leichten Kahn, bei Mondenschein.
Die Zofe rudert, die Gräfin spricht:
„Siehst du die sieben Leichen nicht,

Die hinter uns kommen
Einhergeschwommen –
So traurig schwimmen die Toten!

Das waren Ritter voll Jugendlust –
Sie sanken zärtlich an meine Brust
Und schwuren mir Treue – Zur Sicherheit,
Daß sie nicht brächen ihren Eid,
Ließ ich sie ergreifen
Sogleich und ersäufen –
So traurig schwimmen die Toten!"

Die Zofe rudert, die Gräfin lacht.
Das hallt so höhnisch durch die Nacht!
Bis an die Hüfte tauchen hervor
Die Leichen und strecken die Finger empor,
Wie schwörend – Sie nicken
Mit gläsernen Blicken –
So traurig schwimmen die Toten!

Aus der Nachlese zum Romanzero

Gedichte 1853 und 1854

ZUM LAZARUS

Laß die heil'gen Parabolen,
Laß die frommen Hypothesen –
Suche die verdammten Fragen
Ohne Umschweif uns zu lösen.

Warum schleppt sich blutend, elend,
Unter Kreuzlast der Gerechte,
Während glücklich als ein Sieger
Trabt auf hohem Roß der Schlechte?

Woran liegt die Schuld? Ist etwa
Unser Herr nicht ganz allmächtig?
Oder treibt er selbst den Unfug?
Ach, das wäre niederträchtig.

Also fragen wir beständig,
Bis man uns mit einer Handvoll
Erde endlich stopft die Mäuler –
Aber ist das eine Antwort?

Wie langsam kriechet sie dahin,
Die Zeit, die schauderhafte Schnecke!
Ich aber, ganz bewegungslos
Blieb ich hier auf demselben Flecke.

In meine dunkle Zelle dringt
Kein Sonnenstrahl, kein Hoffnungsschimmer;

Ich weiß, nur mit der Kirchhofsgruft
Vertausch ich dies fatale Zimmer.

Vielleicht bin ich gestorben längst;
Es sind vielleicht nur Spukgestalten
Die Phantasieen, die des Nachts
Im Hirn den bunten Umzug halten.

Es mögen wohl Gespenster sein,
Altheidnisch göttlichen Gelichters;
Sie wählen gern zum Tummelplatz
Den Schädel eines toten Dichters. –

Die schaurig süßen Orgia,
Das nächtlich tolle Geistertreiben,
Sucht des Poeten Leichenhand
Manchmal am Morgen aufzuschreiben.

ERINNERUNG
AUS KRÄHWINKELS SCHRECKENSTAGEN

Wir, Bürgermeister und Senat,
Wir haben folgendes Mandat
Stadtväterlichst an alle Klassen
Der treuen Bürgerschaft erlassen.

„Ausländer, Fremde, sind es meist,
Die unter uns gesät den Geist
Der Rebellion. Dergleichen Sünder,
Gottlob! sind selten Landeskinder.

Auch Gottesleugner sind es meist;
Wer sich von seinem Gotte reißt,
Wird endlich auch abtrünnig werden
Von seinen irdischen Behörden.

Der Obrigkeit gehorchen, ist
Die erste Pflicht für Jud' und Christ.
Es schließe jeder seine Bude,
Sobald es dunkelt, Christ und Jude.

Wo ihrer drei beisammenstehn,
Da soll man auseinandergehn.
Des Nachts soll niemand auf den Gassen
Sich ohne Leuchte sehen lassen.

Es liefre seine Waffen aus
Ein jeder in dem Gildenhaus;
Auch Munition von jeder Sorte
Wird deponiert am selben Orte.

Wer auf der Straße räsoniert,
Wird unverzüglich füsiliert;
Das Räsonieren durch Gebärden
Soll gleichfalls hart bestrafet werden.

Vertrauet eurem Magistrat,
Der fromm und liebend schützt den Staat
Durch huldreich hochwohlweises Walten;
Euch ziemt es, stets das Maul zu halten."

Bimini

PROLOG

Wunderglaube! blaue Blume,
Die verschollen jetzt, wie prachtvoll
Blühte sie im Menschenherzen
Zu der Zeit, von der wir singen!

Wunderglaubenszeit! Ein Wunder
War sie selbst. So viele Wunder
Gab es damals, daß der Mensch
Sich nicht mehr darob verwundert.

Wie im kühlsten Werkeltagslicht
Der Gewohnheit, sah der Mensch
Manchmal Dinge, Wunderdinge,
Welche überflügeln konnten

In der Tollheit selbst die tollsten
Fabeleien in Legenden
Frommer hirnverbrannter Mönche
Und in alten Ritterbüchern.

Eines Morgens, bräutlich blühend,
Tauchte aus des Ozeanes
Blauen Fluten ein Meerwunder,
Eine ganze neue Welt –

Eine neue Welt mit neuen
Menschensorten, neuen Bestien,
Neuen Bäumen, Blumen, Vögeln,
Und mit neuen Weltkrankheiten!

Unterdessen unsre alte,
Unsre eigne alte Welt,
Umgestaltet, ganz verwandelt
Wunderbarlich wurde sie

Durch Erfindnisse des Geistes,
Des modernen Zaubergeistes,
Durch die Schwarzkunst Berthold Schwarzes
Und die noch viel schlaure Schwarzkunst

Eines Mainzer Teufelbanners [1],
Sowie auch durch die Magie,

1. Heine teilte die seinerzeit verbreitete irrige Anschauung, daß Guten-

Welche waltet in den Büchern,
Die von bärt'gen Hexenmeistern

Aus Byzanz und aus Ägypten
Uns gebracht und hübsch verdolmetscht –
Buch der Schönheit heißt das eine,
Buch der Wahrheit heißt das andre[1].

Beide aber hat Gott selber
Abgefaßt in zwei verschiednen
Himmelssprachen, und er schrieb sie,
Wie wir glauben, eigenhändig.

Durch die kleine Zitternadel,
Die des Seemanns Wünschelrute,
Fand derselbe damals auch
Einen Weg nach India[2],

Nach der lang gesuchten Heimat
Der Gewürze, wo sie sprießen
Schier in liederlicher Fülle,
Manchmal gar am Boden ranken

Die phantastischen Gewächse,
Kräuter, Blumen, Stauden, Bäume,
Die des Pflanzenreiches Adel
Oder Kronjuwelen sind,

bergs Gehilfe Fust und der Doktor Faust ein und dieselbe Person gewesen seien.

1. Mit dem „Buch der Schönheit" sind die Werke der Griechen gemeint; nach der Zerstörung Konstantinopels durch die Türken (1453) kamen zahlreiche Gelehrte von dort nach dem Abendlande, wo sie die griechischen Studien weckten und förderten. Das „Buch der Wahrheit" ist das Alte Testament, das erst seit Beginn des 16. Jahrhunderts wieder in der Ursprache gelesen wurde. Die hebräischen Studien wurden unter den Humanisten besonders von Reuchlin empfohlen, und für ihn, wie für andere, waren die Juden die bärtigen Hexenmeister aus Ägypten, von denen man Rats erbat.

2. Nach Westindien.

Jene seltnen Spezereien,
Mit geheimnisvollen Kräften,
Die den Menschen oft genesen,
Öfter auch erkranken machen –

Je nachdem sie mischt die Hand
Eines klugen Apothekers
Oder eines dummen Ungars
Aus dem ***Banat.

Als sich nun die Gartenpforte
Indias erschloß – balsamisch
Wogend jetzt ein Meer von Weihrauch,
Eine Sündflut von wollüstig

Ungeheuerlichen Düften,
Sinnberauschend, sinnbetäubend,
Strömte plötzlich in das Herz,
In das Herz der alten Welt.

Wie gepeitscht von Feuerbränden,
Flammenruten, in der Menschen
Adern raste jetzt das Blut,
Lechzend nach Genuß und Gold –

Doch das Gold allein blieb Losung,
Denn durch Gold, den gelben Kuppler,
Kann sich jeder leicht verschaffen
Alle irdischen Genüsse.

Gold war jetzt das erste Wort,
Das der Spanier sprach beim Eintritt
In des Indianers Hütte –
Erst nachher frug er nach Wasser.

Mexiko und Peru sahen
Dieses Golddursts Orgia,

Cortez[1] und Pizarro[2] wälzten
Goldbesoffen sich im Golde.

Bei dem Tempelsturm von Quito[3]
Lopez Vacca stahl die Sonne,
Die zwölf Zentner Goldes wog;
Doch dieselbe Nacht verlor er

Sie im Würfelspiele wieder,
Und im Volke blieb das Sprichwort:
„Das ist Lopez, der die Sonne
Hat verspielt vor Sonnenaufgang."

Hei! Das waren große Spieler,
Große Diebe, Meuchelmörder
(Ganz vollkommen ist kein Mensch).
Doch sie taten Wundertaten,

Überflügelnd die Prouessen[4]
Furchtbarlichster Soldateske,
Von dem großen Holofernes
Bis auf Haynau[5] und Radetzky[6].

In der Zeit des Wunderglaubens
Taten auch die Menschen Wunder;

1. Hernando Cortez (1485-1547), der spanische Eroberer Mexikos.

2. Francisco Pizarro (1475-1541), der Entdecker und Eroberer von Peru, stand an roher Gewalttätigkeit hinter Cortez nicht zurück.

3. Hauptstadt von Ecuador, 1534 begründet.

4. Scherzhafter, herabsetzender Ausdruck für „Heldentaten".

5. Julius Jakob Freiherr von Haynau (1786-1853), österreichischer General, warf mit großer Tatkraft, aber auch Grausamkeit 1848 die Revolution in Oberitalien, dann aber besonders 1849 die große Erhebung der Ungarn nieder.

6. Der österreichische Feldmarschall Graf von Radetzky (1766-1858), der sich in vielen Feldzügen ausgezeichnet hatte, war ebenfalls durch die Heldentaten in Oberitalien (Sieg bei Custozza, August 1848) als schroffer Besieger der Revolution berühmt geworden; damals, 1850 bis 1856, hielt er als Generalgouverneur des Lombardisch-Venezianischen Königreiches die Ruhe mit eiserner Strenge aufrecht.

Wer Unmögliches geglaubt,
Konnt' Unmögliches verrichten.

Nur der Tor war damals Zweifler,
Die verständ'gen Leute glaubten;
Vor den Tageswundern beugte
Gläubig tief sein Haupt der Weise.

Seltsam! Aus des Wunderglaubens
Wunderzeit klingt mir im Sinne
Heut beständig die Geschichte
Von Don Juan Ponce de Leon[1],

Welcher Florida entdeckte,
Aber jahrelang vergebens
Aufgesucht die Wunderinsel
Seiner Sehnsucht: Bimini!

Bimini! bei deines Namens
Holdem Klang, in meiner Brust
Bebt das Herz, und die verstorbnen
Jugendträume, sie erwachen.

Auf den Häuptern welke Kränze,
Schauen sie mich an wehmütig;
Tote Nachtigallen flöten,
Schluchzen zärtlich, wie verblutend.

Und ich fahre auf, erschrocken,
Meine kranken Glieder schüttelnd
Also heftig, daß die Nähte
Meiner Narrenjacke platzen –

Doch am Ende muß ich lachen,
Denn mich dünket, Papageien

1. Spanischer Edelmann, der Florida entdeckte und 1508, von Haiti aus, einen Eroberungszug nach der Insel Porto Rico unternahm, die freilich schon Columbus etliche Jahre zuvor (1493) aufgefunden hatte.

Kreischten drollig und zugleich
Melancholisch: Bimini.

Hilf mir, Muse, kluge Bergfee
Des Parnasses, Gottestochter
Steh mir bei jetzt und bewähre
Die Magie der edlen Dichtkunst –

Zeige, daß du hexen kannst,
Und verwandle flugs mein Lied
In ein Schiff, ein Zauberschiff,
Das mich bringt nach Bimini!

Kaum hab ich das Wort gesprochen,
Geht mein Wunsch schon in Erfüllung,
Und vom Stapel des Gedankens
Läuft herab das Zauberschiff.

Wer will mit nach Bimini?
Steiget ein, ihr Herrn und Damen!
Wind und Wetter dienend, bringt
Euch mein Schiff nach Bimini.

Leidet ihr am Zipperlein,
Edle Herren? Schöne Damen,
Habt ihr auf der weißen Stirn
Schon ein Rünzelchen entdeckt?

Folget mir nach Bimini,
Dorten werdet ihr genesen
Von den schändlichen Gebresten;
Hydropathisch ist die Kur!

Fürchtet nichts, ihr Herrn und Damen,
Sehr solide ist mein Schiff;
Aus Trochäen, stark wie Eichen,
Sind gezimmert Kiel und Planken.

Phantasie sitzt an dem Steuer,
Gute Laune bläht die Segel,
Schiffsjung' ist der Witz, der flinke;
Ob Verstand an Bord? Ich weiß nicht!

Meine Rahen sind Metaphern,
Die Hyperbel ist mein Mastbaum,
Schwarzrotgold ist meine Flagge,
Fabelfarben der Romantik –

Trikolore Barbarossas,
Wie ich weiland sie gesehen
Im Kyffhäuser und zu Frankfurt
In dem Dome von Sankt Paul. –

Durch das Meer der Märchenwelt,
Durch das blaue Märchenweltmeer,
Zieht mein Schiff, mein Zauberschiff
Seine träumerischen Furchen.

Funkenstäubend, mir voran,
In dem wogenden Azur,
Plätschert, tummelt sich ein Heer
Von großköpfigen Delphinen –

Und auf ihrem Rücken reiten
Meine Wasserpostillone,
Amoretten, die pausbäckig
Auf bizarren Muschelhörnern

Schallende Fanfaren blasen –
Aber horch! da unten klingt
Aus der Meerestiefe plötzlich
Ein Gekicher und Gelächter.

Ach, ich kenne diese Laute,
Diese süßmokanten Stimmen –

Das sind schnippische Undinen,
Nixen, welche skeptisch spötteln

Über mich, mein Narrenschiff,
Meine Narrenpassagiere,
Über meine Narrenfahrt
Nach der Insel Bimini.

Lamentationen

DIESSEITS UND JENSEITS DES RHEINS

Sanftes Rasen, wildes Kosen,
Tändeln mit den glühnden Rosen,
Holde Lüge, süßer Dunst,
Die Veredlung roher Brunst,
Kurz, der Liebe heitre Kunst –
Da seid Meister ihr, Franzosen!

Aber wir verstehn uns baß,
Wir Germanen, auf den Haß.
Aus Gemütes Tiefen quillt er,
Deutscher Haß! Doch riesig schwillt er,
Und mit seinem Gifte füllt er
Schier das Heidelberger Faß.

Wer ein Herz hat und im Herzen
Liebe trägt, ist überwunden
Schon zur Hälfte; und so lieg ich
Jetzt geknebelt und gebunden – – –

Wenn ich sterbe, wird die Zunge
Ausgeschnitten meiner Leiche;
Denn sie fürchten, redend käm' ich
Wieder aus dem Schattenreiche.

Stumm verfaulen wird der Tote
In der Gruft, und nie verraten
Werd ich die an mir verübten
Lächerlichen Freveltaten.

Ich seh im Stundenglase schon
Den kargen Sand zerrinnen.
Mein Weib, du engelsüße Person!
Mich reißt der Tod von hinnen.

Er reißt mich aus deinem Arm, mein Weib,
Da hilft kein Widerstehen,
Er reißt die Seele aus dem Leib –
Sie will vor Angst vergehen.

Er jagt sie aus dem alten Haus,
Wo sie so gerne bliebe.
Sie zittert und flattert – Wo soll ich hinaus?
Ihr ist wie dem Floh im Siebe.

Das kann ich nicht ändern, wie sehr ich mich sträub,
Wie sehr ich mich winde und wende;
Der Mann und das Weib, die Seel' und der Leib,
Sie müssen sich trennen am Ende.

Den Strauß, den mir Mathilde band
Und lächelnd brachte, mit bittender Hand

Weis ich ihn ab – Nicht ohne Grauen
Kann ich die blühenden Blumen schauen.

Sie sagen mir, daß ich nicht mehr
Dem schönen Leben angehör,
Daß ich verfallen dem Totenreiche,
Ich arme unbegrabene Leiche.

Wenn ich die Blumen rieche, befällt
Mich heftiges Weinen – Von dieser Welt
Voll Schönheit und Sonne, voll Lust und Lieben,
Sind mir die Tränen nur geblieben.

Wie glücklich war ich, wenn ich sah
Den Tanz der Ratten [1] der Opera –
Jetzt hör ich schon das fatale Geschlürfe
Der Kirchhofratten und Grabmaulwürfe.

O Blumendüfte, ihr ruft empor
Ein ganzes Ballett, ein ganzes Chor
Von parfümierten Erinnerungen –
Das kommt auf einmal herangesprungen,

Mit Kastagnetten und Zimbelklang,
In flittrigen Röckchen, die nicht zu lang;
Doch all ihr Tändeln und Kichern und Lachen,
Es kann mich nur noch verdrießlicher machen!

Fort mit den Blumen! Ich kann nicht ertragen
Die Düfte, die von alten Tagen
Mir boshaft erzählt viel holde Schwänke –
Ich weine, wenn ich ihrer gedenke. –

1. Tänzerinnen.

FÜR DIE MOUCHE[1]

Es träumte mir von einer Sommernacht,
Wo bleich, verwittert, in des Mondes Glanze
Bauwerke lagen, Reste alter Pracht,
Ruinen aus der Zeit der Renaissance.

Nur hie und da, mit dorisch ernstem Knauf,
Hebt aus dem Schutt sich einzeln eine Säule
Und schaut ins hohe Firmament hinauf,
Als ob sie spotte seiner Donnerkeile.

Gebrochen auf dem Boden liegen rings
Portale, Giebeldächer mit Skulpturen,
Wo Mensch und Tier vermischt, Zentaur und Sphinx,
Satyr, Chimäre – Fabelzeitfiguren.

Auch manches Frauenbild von Stein liegt hier,
Unkrautumwuchert in dem hohen Grase;
Die Zeit, die schlimmste Syphilis, hat ihr
Geraubt ein Stück der edlen Nymphennase.

Es steht ein offner Marmorsarkophag
Ganz unverstümmelt unter den Ruinen,
Und gleichfalls unversehrt im Sarge lag
Ein toter Mann mit leidend sanften Mienen.

Karyatiden mit gerecktem Hals,
Sie scheinen mühsam ihn emporzuhalten.

1. Elise Krinitz (1830-1896), die unter dem Namen Camille Selden Erinnerungen an Heine herausgegeben hat (*Les derniers jours de Henri Heine*, Paris 1884), war dem Dichter, der ihr den Namen „die Mouche“ gab, die letzte, die tiefverständige, liebende Freundin seines Herzens. Sie war in Dresden geboren, wurde von einem sächsischen Offizier als Tochter angenommen, kam als Lehrerin nach Paris, trat durch Vermittlung Alfred Meißners, dem sie nahestand, 1855 in Heines Haus ein, gewährte ihm Trost, Liebe und bedeutende Anregungen. In den Jahren 1858 bis 1868 hatte sie enge geistige Gemeinschaft mit Hippolyte Taine. Zuletzt lebte sie zurückgezogen in Rouen.

An beiden Seiten sieht man ebenfalls
Viel basrelief gemeißelte Gestalten.

Hier sieht man des Olympos Herrlichkeit
Mit seinen lüderlichen Heidengöttern,
Adam und Eva stehn dabei, sind beid'
Versehn mit keuschem Schurz von Feigenblättern.

Hier sieht man Trojas Untergang und Brand,
Paris und Helena, auch Hektor sah man;
Moses und Aaron gleich daneben stand,
Auch Esther, Judith, Holofern und Haman.

Desgleichen war zu sehn der Gott Amur,
Phöbus Apoll, Vulkanus und Frau Venus,
Pluto, Neptun, Diana und Merkur,
Auch Bacchus und Priapus und Silenus.

Daneben stand der Esel Balaams
– Der Esel war zum Sprechen gut getroffen –
Dort sah man auch die Prüfung Abrahams
Und Lot, der mit den Töchtern sich besoffen.

Hier war zu schaun der Tanz Herodias',
Das Haupt des Täufers trägt man auf der Schüssel,
Die Hölle sah man hier und Satanas,
Und Petrus mit dem großen Himmelsschlüssel.

Abwechselnd wieder sah man hier skulptiert
Des geilen Jovis Brunst und Freveltaten,
Wie er als Schwan die Leda hat verführt,
Die Danae als Regen von Dukaten.

Hier war zu sehn Dianas wilde Jagd,
Ihr folgen hochgeschürzte Nymphen, Doggen,
Hier sah man Herkules in Frauentracht,
Die Spindel drehend hält sein Arm den Rocken.

Daneben ist der Sinai zu sehn,
Am Berg steht Israel mit seinen Ochsen,
Man schaut den Herrn als Kind im Tempel stehn
Und disputieren mit den Orthodoxen.

Die Gegensätze sind hier grell gepaart,
Des Griechen Lustsinn und der Gottgedanke
Judäas! Und in Arabeskenart
Um beide schlingt der Efeu seine Ranke.

Doch, wunderbar! Derweilen solcherlei
Bildwerke träumend ich betrachtet habe,
Wird plötzlich mir zu Sinn, ich selber sei
Der tote Mann im schönen Marmorgrabe.

Zu Häupten aber meiner Ruhestätt'
Stand eine Blume, rätselhaft gestaltet,
Die Blätter schwefelgelb und violett,
Doch wilder Liebreiz in der Blume waltet.

Das Volk nennt sie die Blume der Passion
Und sagt, sie sei dem Schädelberg entsprossen,
Als man gekreuzigt hat den Gottessohn,
Und dort sein welterlösend Blut geflossen.

Blutzeugnis, heißt es, gebe diese Blum',
Und alle Marterinstrumente, welche
Dem Henker dienten bei dem Märtyrtum,
Sie trüge sie abkonterfeit im Kelche.

Ja, alle Requisiten der Passion
Sähe man hier, die ganze Folterkammer,
Zum Beispiel: Geisel, Stricke, Dornenkron',
Das Kreuz, den Kelch, die Nägel und den Hammer.

Solch eine Blum' an meinem Grabe stand,
Und über meinen Leichnam niederbeugend,

Wie Frauentrauer, küßt sie mir die Hand,
Küßt Stirne mir und Augen, trostlos schweigend.

Doch, Zauberei des Traumes! Seltsamlich,
Die Blume der Passion, die schwefelgelbe,
Verwandelt in ein Frauenbildnis sich,
Und das ist sie – die Liebste, ja dieselbe!

Du warst die Blume, du geliebtes Kind,
An deinen Küssen mußt' ich dich erkennen.
So zärtlich keine Blumenlippen sind,
So feurig keine Blumentränen brennen!

Geschlossen war mein Aug', doch angeblickt
Hat meine Seel' beständig dein Gesichte,
Du sahst mich an, beseligt und verzückt
Und geisterhaft beglänzt vom Mondenlichte!

Wir sprachen nicht, jedoch mein Herz vernahm,
Was du verschwiegen dachtest im Gemüte –
Das ausgesprochne Wort ist ohne Scham,
Das Schweigen ist der Liebe keusche Blüte.

Und wie beredsam dieses Schweigen ist!
Man sagt sich alles ohne Metaphoren,
Ganz ohne Feigenblatt, ganz ohne List
Des Silbenfalls, des Wohllauts der Rhetoren.

Lautloses Zwiegespräch! man glaubt es kaum,
Wie bei dem stummen, zärtlichen Geplauder
So schnell die Zeit verstreicht im schönen Traum
Der Sommernacht, gewebt aus Lust und Schauder.

Was wir gesprochen, frag es niemals, ach!
Den Glühwurm frag, was er dem Grase glimmert,
Die Welle frage, was sie rauscht im Bach,
Den Westwind frage, was er weht und wimmert.

Frag, was er strahlet, den Karfunkelstein,
Frag, was sie duften, Nachtviol' und Rosen –
Doch frage nie, wovon im Mondenschein
Die Marterblume und ihr Toter kosen!

Ich weiß es nicht, wie lange ich genoß
In meiner schlummerkühlen Marmortruhe
Den schönen Freudentraum. Ach, es zerfloß
Die Wonne meiner ungestörten Ruhe!

O Tod! mit deiner Grabesstille, du,
Nur du kannst uns die beste Wollust geben;
Den Krampf der Leidenschaft, Lust ohne Ruh',
Gibt uns für Glück das albern rohe Leben!

Doch wehe mir! es schwand die Seligkeit,
Als draußen plötzlich sich ein Lärm erhoben;
Es war ein scheltend, stampfend wüster Streit,
Ach, meine Blum' verscheuchte dieses Toben!

Ja, draußen sich erhob mit wildem Grimm
Ein Zanken, ein Gekeife, ein Gekläffe;
Ich glaubte zu erkennen manche Stimm' –
Es waren meines Grabmals Basreliefe.

Spukt in dem Stein der alte Glaubenswahn?
Und disputieren diese Marmorschemen?
Der Schreckensruf des wilden Waldgotts Pan
Wetteifernd wild mit Mosis Anathemen!

Oh, dieser Streit wird enden nimmermehr,
Stets wird die Wahrheit hadern mit dem Schönen,
Stets wird geschieden sein der Menschheit Heer
In zwei Partein: Barbaren und Hellenen.

Das fluchte, schimpfte! gar kein Ende nahm's
Mit dieser Kontroverse, der langweil'gen,

Da war zumal der Esel Balaams,
Der überschrie die Götter und die Heil'gen!

Mit diesem I – a, I – a, dem Gewiehr,
Dem schluchzend ekelhaften Mißlaut, brachte
Mich zur Verzweiflung schier das dumme Tier,
Ich selbst zuletzt schrie auf – und ich erwachte.

Stunden, Tage, Ewigkeiten
Sind es, die wie Schnecken gleiten;
Diese grauen Riesenschnecken
Ihre Hörner weit ausrecken.

Manchmal in der öden Leere,
Manchmal in dem Nebelmeere
Strahlt ein Licht, das süß und golden,
Wie die Augen meiner Holden.

Doch im selben Nu zerstäubet
Diese Wonne, und mir bleibet
Das Bewußtsein nur das schwere,
Meiner schrecklichen Misere.

Mein Tag war heiter, glücklich meine Nacht.
Mir jauchzte stets mein Volk, wenn ich die Leier
Der Dichtkunst schlug. Mein Lied war Lust und Feuer,
Hat manche schöne Gluten angefacht.

Noch blüht mein Sommer, dennoch eingebracht
Hab ich die Ernte schon in meine Scheuer –
Und jetzt soll ich verlassen, was so teuer,
So lieb und teuer mir die Welt gemacht!

Der Hand entsinkt das Saitenspiel. In Scherben
Zerbricht das Glas, das ich so fröhlich eben
An meine übermüt'gen Lippen preßte.

O Gott! wie häßlich bitter ist das Sterben!
O Gott! wie süß und traulich läßt sich leben
In diesem traulich süßen Erdenneste!

Die Söhne des Glückes beneid ich nicht
Ob ihrem Leben, beneiden
Will ich sie nur ob ihrem Tod,
Dem schmerzlos raschen Verscheiden.

Im Prachtgewand, das Haupt bekränzt,
Und Lachen auf der Lippe,
Sitzen sie froh beim Lebensbankett –
Da trifft sie jählings die Hippe.

Im Festkleid und mit Rosen geschmückt,
Die noch wie lebend blühten,
Gelangen in das Schattenreich
Fortunas Favoriten.

Nie hatte Siechtum sie entstellt,
Sind Tote von guter Miene,
Und huldreich empfängt sie an ihrem Hof
Zarewna Proserpine.

Wie sehr muß ich beneiden ihr Los!
Schon sieben Jahre mit herben,
Qualvollen Gebresten wälz ich mich
Am Boden, und kann nicht sterben!

O Gott, verkürze meine Qual,
Damit man mich bald begrabe;

Du weißt ja, daß ich kein Talent
Zum Martyrtume habe.

Ob deiner Inkonsequenz, o Herr,
Erlaube, daß ich staune:
Du schufest den fröhlichsten Dichter, und raubst
Ihm jetzt seine gute Laune.

Der Schmerz verdumpft den heitern Sinn
Und macht mich melancholisch;
Nimmt nicht der traurige Spaß ein End',
So werd ich am Ende katholisch.

Ich heule dir dann die Ohren voll,
Wie andre gute Christen –
O Miserere! Verloren geht
Der beste der Humoristen!

MORPHINE

Groß ist die Ähnlichkeit der beiden schönen
Jünglingsgestalten, ob der eine gleich
Viel blässer als der andre, auch viel strenger,
Fast möcht ich sagen: viel vornehmer aussieht
Als jener andre, welcher mich vertraulich
In seine Arme schloß – Wie lieblich sanft
War dann sein Lächeln, und sein Blick wie selig!
Dann mocht' es wohl geschehn, daß seines Hauptes
Mohnblumenkranz auch meine Stirn berührte
Und seltsam duftend allen Schmerz verscheuchte
Aus meiner Seel' – Doch solche Linderung,
Sie dauert kurze Zeit; genesen gänzlich
Kann ich nur dann, wenn seine Fackel senkt
Der andre Bruder, der so ernst und bleich. –
Gut ist der Schlaf, der Tod ist besser – freilich
Das beste wäre, nie geboren sein.

Es kommt der Tod – jetzt will ich sagen,
Was zu verschweigen ewiglich
Mein Stolz gebot: für dich, für dich,
Es hat mein Herz für dich geschlagen!

Der Sarg ist fertig, sie versenken
Mich in die Gruft. Da hab ich Ruh'.
Doch du, doch du, Maria, du,
Wirst weinen oft und mein gedenken.

Du ringst sogar die schönen Hände –
O tröste dich – das ist das Los,
Das Menschenlos: – was gut und groß
Und schön, das nimmt ein schlechtes Ende.

Zeitgedichte

DIE SCHLESISCHEN WEBER[1]

Im düstern Auge keine Träne,
Sie sitzen am Webstuhl und fletschen die Zähne:
„Deutschland, wir weben dein Leichentuch,
Wir weben hinein den dreifachen Fluch –
Wir weben, wir weben!

Ein Fluch dem Gotte, zu dem wir gebeten
In Winterskälte und Hungersnöten;
Wir haben vergebens gehofft und geharrt,
Er hat uns geäfft und gefoppt und genarrt –
Wir weben, wir weben!

1. Bei Gelegenheit des Aufstandes der schwerbedrängten schlesischen Weber im Jahre 1844.

Ein Fluch dem König, dem König der Reichen,
Den unser Elend nicht konnte erweichen,
Der den letzten Groschen von uns erpreßt,
Und uns wie Hunde erschießen läßt –
Wir weben, wir weben!

Ein Fluch dem falschen Vaterlande,
Wo nur gedeihen Schmach und Schande,
Wo jede Blume früh geknickt,
Wo Fäulnis und Moder den Wurm erquickt –
Wir weben, wir weben!

Das Schiffchen fliegt, der Webstuhl kracht,
Wir weben emsig Tag und Nacht –
Altdeutschland, wir weben dein Leichentuch,
Wir weben hinein den dreifachen Fluch,
Wir weben, wir weben!“

MICHEL NACH DEM MÄRZ

Solang' ich den deutschen Michel gekannt,
War er ein Bärenhäuter;
Ich dachte im März, er hat sich ermannt
Und handelt fürder gescheuter.

Wie stolz erhob er das blonde Haupt
Vor seinen Landesvätern!
Wie sprach er – was doch unerlaubt –
Von hohen Landesverrätern.

Das klang so süß zu meinem Ohr
Wie märchenhafte Sagen,
Ich fühlte, wie ein junger Tor,
Das Herz mir wieder schlagen.

Doch als die schwarzrotgoldne Fahn'
Der altgermanische Plunder,
Aufs neu erschien, da schwand mein Wahn
Und die süßen Märchenwunder.

Ich kannte die Farben in diesem Panier
Und ihre Vorbedeutung:
Von deutscher Freiheit brachten sie mir
Die schlimmste Hiobszeitung.

Schon sah ich den Arndt, den Vater Jahn –
Die Helden aus andern Zeiten
Aus ihren Gräbern wieder nahn
Und für den Kaiser streiten.

Die Burschenschaftler allesamt
Aus meinen Jünglingsjahren,
Die für den Kaiser sich entflammt,
Wenn sie betrunken waren.

Ich sah das sündenergraute Geschlecht
Der Diplomaten und Pfaffen,
Die alten Knappen vom römischen Recht,
Am Einheitstempel schaffen –

Derweil der Michel geduldig und gut
Begann zu schlafen und schnarchen,
Und wieder erwachte unter der Hut
Von vierunddreißig Monarchen.

1649–1793–???

Die Briten zeigten sich sehr rüde
Und ungeschliffen als Régicide[1].

1. Königsmörder.

Schlaflos hat König Karl verbracht
In Whitehall seine letzte Nacht.
Vor seinem Fenster sang der Spott
Und ward gehämmert an seinem Schafott.

Viel höflicher nicht die Franzosen waren.
In einem Fiaker haben diese
Den Ludwig Capet zum Richtplatz gefahren;
Sie gaben ihm keine Calèche de Remise [1],
Wie nach der alten Etikette
Der Majestät gebühret hätte.

Noch schlimmer erging's der Marie Antoinette,
Denn sie bekam nur eine Charrette [2];
Statt Chambellan [3] und Dame d'Atour [4]
Ein Sansculotte mit ihr fuhr.
Die Witwe Capet hob höhnisch und schnippe
Die dicke habsburgische Unterlippe.

Franzosen und Briten sind von Natur
Ganz ohne Gemüt; Gemüt hat nur
Der Deutsche, er wird gemütlich bleiben
Sogar im terroristischen Treiben.
Der Deutsche wird die Majestät
Behandeln stets mit Pietät.
In einer sechsspännigen Hofkarosse,
Schwarz panaschiert und beflort die Rosse,
Hoch auf dem Bock mit der Trauerpeitsche
Der weinende Kutscher – so wird der deutsche
Monarch einst nach dem Richtplatz kutschiert
Und untertänigst guillotiniert.

1. Vornehmer Wagen, nicht mit Nummer versehen.
2. Zweirädriger Karren.
3. Kammerherr.
4. Die mit der Kleidung und dem Putz beauftragte Hofdame.

Aus Atta Troll. Ein Sommernachtstraum

CAPUT II

Daß ein schwarzer Freiligräthscher
Mohrenfürst sehnsüchtig lospaukt
Auf das Fell der großen Trommel,
Bis es prasselnd laut entzweispringt:

Das ist wahrhaft trommelrührend
Und auch trommelfellerschütternd –
Aber denkt euch einen Bären,
Der sich von der Kette losreißt!

Die Musik und das Gelächter,
Sie verstummen, und mit Angstschrei
Stürzt vom Markte fort das Volk,
Und die Damen, sie erbleichen.

Ja, von seiner Sklavenfessel
Hat sich plötzlich losgerissen
Atta Troll. Mit wilden Sprüngen
Durch die engen Straßen rennend –

(Jeder macht ihm höflich Platz) –
Klettert er hinauf die Felsen,
Schaut hinunter, wie verhöhnend,
Und verschwindet im Gebirge.

Auf dem leeren Marktplatz bleiben
Ganz allein die schwarze Mumma
Und der Bärenführer. Rasend
Schmeißt er seinen Hut zur Erde,

Trampelt drauf, er tritt mit Füßen
Die Madonnen! reißt die Decke

Sich vom scheußlich nackten Leib,
Flucht und jammert über Undank,

Über schwarzen Bärenundank!
Denn er habe Atta Troll
Stets wie einen Freund behandelt
Und im Tanzen unterrichtet.

Alles hab' er ihm zu danken,
Selbst das Leben! Bot man doch
Ihm vergebens hundert Taler
Für die Haut des Atta Troll!

Auf die arme schwarze Mumma,
Die, ein Bild des stummen Grames,
Flehend, auf den Hintertatzen,
Vor dem Hocherzürnten stehnblieb,

Fällt des Hocherzürnten Wut
Endlich doppelt schwer, er schlägt sie,
Nennt sie Königin Christine,
Auch Frau Munoz [1] und Putana [2]. – –

Das geschah an einem schönen,
Warmen Sommernachmittage,
Und die Nacht, die jenem Tage
Lieblich folgte, war süperbe.

Ich verbrachte fast die Hälfte
Jener Nacht auf dem Balkone.
Neben mir stand Juliette
Und betrachtete die Sterne.

1. Maria Christina vermählte sich schon am 18. Dezember 1833, bald nach dem Tode ihres Gatten, des Königs Ferdinand VII., mit einem ihrer Leibgardisten, Don Fernando Muñoz (geb. 1808), der später von ihr zum Herzog von Rianzares erhoben wurde. Er starb 1873.
2. Dirne.

Seufzend sprach sie: „Ach, die Sterne
Sind am schönsten in Paris,
Wenn sie dort des Winterabends
In dem Straßenkot sich spiegeln."

CAPUT III

Traum der Sommernacht! Phantastisch
Zwecklos ist mein Lied. Ja, zwecklos
Wie die Liebe, wie das Leben,
Wie der Schöpfer samt der Schöpfung!

Nur der eignen Lust gehorchend,
Galoppierend oder fliegend,
Tummelt sich im Fabelreiche
Mein geliebter Pegasus.

Ist kein nützlich tugendhafter
Karrengaul des Bürgertums,
Noch ein Schlachtpferd der Parteiwut,
Das pathetisch stampft und wiehert!

Goldbeschlagen sind die Hufen
Meines weißen Flügelrößleins,
Perlenschnüre sind die Zügel,
Und ich laß sie lustig schießen.

Trage mich, wohin du willst!
Über luftig steilen Bergpfad,
Wo Kaskaden angstvoll kreischend
Vor des Unsinns Abgrund warnen!

Trage mich durch stille Täler,
Wo die Eichen ernsthaft ragen
Und den Wurzelknorrn entrieselt
Uralt süßer Sagenquell!

Laß mich trinken dort und nässen
Meine Augen – ach, ich lechze
Nach dem lichten Wunderwasser,
Welches sehend macht und wissend.

Jede Blindheit weicht! Mein Blick
Dringt bis in die tiefste Steinkluft,
In die Höhle Atta Trolls –
Ich verstehe seine Reden!

Sonderbar! wie wohlbekannt
Dünkt mir diese Bärensprache!
Hab ich nicht in teurer Heimat
Früh vernommen diese Laute?

CAPUT VI

Doch es ist vielleicht ersprießlich
Für den Menschen, der den höhern
Viehstand bildet, daß er wisse,
Was da unten räsoniert wird.

Ja, da unten in den düstern
Jammersphären der Gesellschaft,
In den niedern Tierweltschichten,
Brütet Elend, Stolz und Groll.

Was naturgeschichtlich immer,
Also auch gewohnheitsrechtlich
Seit Jahrtausenden bestanden,
Wird negiert mit frecher Schnauze.

Von den Alten wird den Jungen
Eingebrummt die böse Irrlehr',
Die auf Erden die Kultur
Und Humanität bedroht.

„Kinder!“ – grommelt Atta Troll,
Und er wälzt sich hin und her
Auf dem teppichlosen Lager –
„Kinder, uns gehört die Zukunft!

Dächte jeder Bär und dächten
Alle Tiere so wie ich,
Mit vereinten Kräften würden
Wir bekämpfen die Tyrannen.

Es verbände sich der Eber
Mit dem Roß, der Elefant
Schlänge brüderlich den Rüssel
Um das Horn des wackern Ochsen;

Bär und Wolf von jeder Farbe,
Bock und Affe, selbst der Hase,
Wirkten ein'ge Zeit gemeinsam,
Und der Sieg könnt' uns nicht fehlen.

Einheit, Einheit ist das erste
Zeitbedürfnis. Einzeln wurden
Wir geknechtet, doch verbunden
Übertölpeln wir die Zwingherrn.

Einheit! Einheit! und wir siegen,
Und es stürzt das Regiment
Schnöden Monopols! Wir stiften
Ein gerechtes Animalreich.

Grundgesetz sei volle Gleichheit
Aller Gotteskreaturen,
Ohne Unterschied des Glaubens
Und des Fells und des Geruches.

Strenge Gleichheit! Jeder Esel
Sei befugt zum höchsten Staatsamt,

Und der Löwe soll dagegen
Mit dem Sack zur Mühle traben.

Was den Hund betrifft, so ist er
Freilich ein serviler Köter,
Weil Jahrtausende hindurch
Ihn der Mensch wie 'n Hund behandelt;

Doch in unserm Freistaat geben
Wir ihm wieder seine alten
Unveräußerlichen Rechte,
Und er wird sich bald veredeln.

Ja, sogar die Juden sollen
Volles Bürgerrecht genießen
Und gesetzlich gleichgestellt sein
Allen andern Säugetieren.

Nur das Tanzen auf den Märkten
Sei den Juden nicht gestattet;
Dies Amendement, ich mach es
Im Intresse meiner Kunst.

Denn der Sinn für Stil, für strenge
Plastik der Bewegung, fehlt
Jener Rasse, sie verdürben
Den Geschmack des Publikums."

CAPUT XXVII

(An August Varnhagen von Ense)

„Wo des Himmels, Meister Ludwig,
Habt Ihr all das tolle Zeug
Aufgegabelt?" Diese Worte
Rief der Kardinal von Este,

Als er das Gedicht gelesen
Von des Rolands Rasereien,
Das Ariosto untertänig
Seiner Eminenz gewidmet.

Ja, Varnhagen, alter Freund,
Ja, ich seh um deine Lippen
Fast dieselben Worte schweben,
Mit demselben feinen Lächeln.

Manchmal lachst du gar im Lesen!
Doch mitunter mag sich ernsthaft
Deine hohe Stirne furchen,
Und Erinnrung überschleicht dich: –

„Klang das nicht wie Jugendträume,
Die ich träumte mit Chamisso
Und Brentano und Fouqué
In den blauen Mondscheinnächten?

Ist das nicht das fromme Läuten
Der verlornen Waldkapelle?
Klingelt schalkhaft nicht dazwischen
Die bekannte Schellenkappe?

In die Nachtigallenchöre
Bricht herein der Bärenbrummbaß,
Dumpf und grollend, dieser wechselt
Wieder ab mit Geisterlispeln!

Wahnsinn, der sich klug gebärdet!
Weisheit, welche überschnappt!
Sterbeseufzer, welche plötzlich
Sich verwandeln in Gelächter!“ ...

Ja, mein Freund, es sind die Klänge
Aus der längst verschollnen Traumzeit;

Nur daß oft moderne Triller
Gaukeln durch den alten Grundton.

Trotz des Übermutes wirst du
Hie und dort Verzagnis spüren –
Deiner wohlerprobten Milde
Sei empfohlen dies Gedicht!

Ach, es ist vielleicht das letzte
Freie Waldlied der Romantik!
In des Tages Brand- und Schlachtlärm
Wird es kümmerlich verhallen.

Andre Zeiten, andre Vögel!
Andre Vögel, andre Lieder!
Welch ein Schnattern, wie von Gänsen,
Die das Kapitol gerettet!

Welch ein Zwitschern! Das sind Spatzen,
Pfennigslichtchen in den Krallen;
Sie gebärden sich wie Jovis
Adler mit dem Donnerkeil!

Welch ein Gurren! Turteltauben,
Liebesatt, sie wollen hassen,
Und hinfüro, statt der Venus,
Nur Bellonas Wagen ziehen!

Welch ein Sumsen, welterschütternd!
Das sind ja des Völkerfrühlings
Kolossale Maienkäfer,
Von Berserkerwut ergriffen!

Andre Zeiten, andre Vögel!
Andre Vögel, andre Lieder!
Sie gefielen mir vielleicht,
Wenn ich andre Ohren hätte!

ZEITTAFEL

1797	13. Dezember: Harry Heine in Düsseldorf geboren. Sein Vater, Samson Heine, war Kaufmann, Harry sein Erstgeborener, dem zwei Brüder und eine Schwester folgten.
1807–14	Im Düsseldorfer Lyzeum, das katholische Geistliche leiteten.
1816	In Hamburg bei seinem Onkel Salomon Heine, dem Bankier, der im späteren Leben ihn bald mit Geld unterstützt, bald jegliche Unterstützung entzieht.
1818/19	Vom Onkel erhält er ein Kommissionsgeschäft, das er zum Bankrott führt.
	Onkel Salomon gewährt ihm die Mittel zu einem dreijährigen Studium.
1819/20	Zwei Semester in Bonn, wo er hauptsächlich August Wilhelm Schlegel hört.
1821	23. Januar: von der Universität Göttingen relegiert.
	4. April: Immatrikulation in Berlin. Dort verkehrt er im Salon der Rahel Varnhagen von Ense und der Elise von Hohenhausen und im „Verein für Kultur und Wissenschaft der Juden“.
1824	Zum zweiten Mal in Göttingen immatrikuliert. *Die Harzreise*.
1825	Promotion zum Dr. jur. in Göttingen.
	28. Juni: Übertritt zum Protestantismus.
1827	*Buch der Lieder*. Reise nach England. In München kurze Zeit Mitherausgeber der *Neuen allgemeinen politischen Annalen*.
1828	Reise nach Italien.
1830	In Hamburg und auf Helgoland.
1831	*Reisebilder* (4 Teile, seit 1826).
	1. Mai: Übersiedlung nach Paris als Korrespondent der *Allgemeinen Zeitung* in Augsburg.

1835 Der deutsche Bundestag verbietet die Schriften des „Jungen Deutschland“, darunter auch Heines Bücher. Die französische Regierung gewährt ihm eine Pension.

1836 *Die romantische Schule* (2. Auflage des 1833 erschienenen Buches: *Zur Geschichte der neueren schönen Literatur in Deutschland*).

1841 31. August: Heirat mit Crescentia Eugénie Mirat, die er Mathilde nennt.

1842 *Atta Troll*, angeregt durch Freiligraths Aufenthalt in der Hütte eines Bärenjägers in den Pyrenäen (publiziert 1847).

1843 Herbstreise durch Deutschland, Bekanntschaft mit Friedrich Hebbel und Karl Marx.

1844 *Neue Gedichte*, darin *Deutschland, ein Wintermärchen*. Zweite und letzte Deutschlandreise. Tod des Bankiers Salomon Heine. Langdauernder, heftiger Erbschaftsstreit mit seinem Vetter Karl.

1848 Heine erkrankt an Rückenmarksschwindsucht. Jahre der „Matratzengruft“.

1851 *Romanzero*, späte Gedichte. *Der Doktor Faustus*, ein Tanzpoem.

1855 Freundschaft mit der „Mouche“, der Romanschriftstellerin Camille Selden (u. a. *L'esprit moderne en Allemagne*, von Taine sehr gelobt), Heines letzte Liebe.

1856 17. Februar: Tod Heinrich Heines.

NACHWORT

> „In der Lyrik fand Heine eine Form, worin die desperatesten Töne, der Ausdruck einer vom Krampf ergriffenen Welt, gellend zusammenklingen, um als reizende Musik wieder davonzusäuseln."
>
> *Friedrich Hebbel*

Zu seinen Lebzeiten und noch lange danach überflügelte nur Goethes Ruhm denjenigen des Dichters Heinrich Heine (1797–1856). Als der Inbegriff des Musensohnes galt er in Deutschland, das gerade an seinen Gedichten die verhängnisvolle Gleichsetzung von Dichtung und Stimmung vornahm. Im Ausland, wo man diese Kongruenz vordem nicht kannte, genoß er das Ansehen dessen, der die deutsche Poesie schlechthin verkörpert. Eine Auffassung, die zumindest in Frankreich noch heutzutage gehört werden kann. Im allgemeinen teilt unser Jahrhundert diese Ansicht indes nicht. Den Undank, mit welchem sein Vaterland den Dichtern begegnet, hat Heine inzwischen wie kaum ein zweiter erfahren. Und dies nicht etwa, weil eher in Toulouse als in Düsseldorf, wo er 1797 zur Welt kam, ein Heine-Denkmal steht, nein, weil die ihn ganz und gar aus dem Gedächtnis löschten, deren Vorfahren vor hundertzwanzig Jahren (und weniger) ihr Herz an seinen schmetterlingsbunten Gedichten berauschten. Auf aller Lippen lagen seine Verse als die tönende Seele des Volkes selbst, in Melodien gebracht von Schumann, Schubert, Hugo Wolff, Brahms oder Richard Strauss.

Als das nationalsozialistische Deutschland jegliche Spur des jüdischen Dichters auszutilgen versuchte, bot sein Erinnerungsbild den Verfolgern nur wenig Widerstand. Daß er, dieser angebliche Vorläufer aller „vaterlandslosen Gesellen", aus Deutschlands geistigem Erbe ausgestrichen wurde, schmerzte die Deutschen damals von allen Missetaten am wenigsten. Und heute? Sieht man, wie wenig über ihn wissenschaftlich gearbeitet wird, wie selten Heine-Vorlesungen, wie spärlich Heine-Ausgaben sind (Gesamtausgaben, meine ich, mit Anthologien steht es besser), dann erkennt man: Heine ist bis heute in Deutschland nicht mehr auferstanden. Unter dem Vorwand, sie sei journalistisch und polemisch, wird häufig seine Prosa abgetan. Umschweiflos und anschaulich selbst in der Darlegung von Abstraktem, hat sie in Deutschland wenig Vorgänger und selten nur Nachfahren. Seine Dichtung wird als zu leichtfüßig, auch als zu spöttisch abgekanzelt, immer steht sie unter dem so verzweiflungsvoll deutschen Vorurteil, nicht „tief" zu sein. Universitätsprofessoren von großem Ansehen, welche Dichtung allein aus dem Wort selbst interpretieren, den geschichtlichen und sozialen Ursprüngen keinen Seitenblick gönnen, nennen seine andrängenden Jamben ein Geklingel, seine Balladen und Liebeslieder unelementare Gesellschaftsdichterei. Im deutschen lesenden Publikum schließlich hat man den im Namen der Vernunft kritisierenden entlaufenen Landsmann immer ein wenig in Pariser Sold zu stehen verdächtigt. Er war zwar nicht der erste und nicht der letzte Tadler Deutschlands, wohl aber der ätzendste. Sein Tadel am deutschen Versagen vor Freiheit und Menschenwürde nicht als Idee, sondern als Tat brannte sich in die deutsche Seele ein. „Pflanzt die schwarzrotgoldne Fahne auf die Höhe des deutschen Gedankens, macht sie zur Standarte des freien Menschentums und ich will mein bestes Herzblut für sie hingeben", steht in der Vorrede zu *Deutschland, ein Wintermärchen* (1844). Mißt er, dies fordernd, sein Volk mit einem bei den Franzosen erborgten Maß? Auch diesem bornierten Vorwurf entging Heine, der Utopist, nicht. Daß solche Worte nur aus innerer Nähe zu seinem Volk fallen können, wurde übersehen. In der Tat, je länger er im Exil lebte, um so deutscher wurde er. Ambivalent, wir sagen heute: dialektisch war seine Natur angelegt; mit Doppeldeutigkeit hatte sie nichts gemein.

Zum Widerspruch gegen vorgefaßte Verehrung geboren, trieb er seine Gaben selbst auf den Gipfel des Widersprüchlichen, unbezweifelbar mitunter den Beifall der Salongesellschaft erwartend, die ihn von frühauf vergötterte. Dieser Dichter der Liebe par excellence, der von ihr nicht nur lispelte, sondern in späteren Jahren auch um ihre Tiefe wußte, konnte zwangshaft ein haßerfüllter Schmäher sein. Zwei seiner Zeitgenossen, Platen und Börne, mußten sich dessen versehen. In der Beurteilung seines Charakters haben zu Heines Lebzeiten seine Pamphlete Flecken zurückgelassen. Eine „Ironie des Geschicks" nannte er es selbst, in sich selber nie unentzweit sein zu können, in seinem Ja stets ein spöttisches Nein zu verstecken, welches das Anerkannte relativiert, wenn nicht gar auf den Kopf stellt. Freilich waren alle Romantiker in sich Zerrissene; aus der Ironie, diesem spaltenden und distanzierenden Prinzip, machten sie das Wahrzeichen ihrer „modernen" Poesie und Denkart. Ironie galt als Desillusionierung des Geistes, der die Kluft zwischen dem Ideal und der Wirklichkeit in sich erfuhr. Diese Kluft erlebte Heine indes weit weniger theoretisch, sondern, modern ausgedrückt: existentiell, als die seine Geistigkeit und sein Dasein zutiefst bestimmende Kraft.

An die Stimmungslyrik, für die er hoch berühmt wird, glaubt er nämlich schon 1827 nicht mehr richtig, als er mit ihr beim Publikum einen Triumph feiert. „Liebchens Bild und Frühlingslust" machen nach Erscheinen des *Buchs der Lieder* Heines ganze Welt nicht mehr aus. Nicht, daß er poetischem Liebesgetändel entsagte, doch mehr als eine bequeme Kennmarke für beifallsfreudige Außenstehende bedeutete es ihm nicht. Diese laue Feenwelt des Gemüts, entstammt sie nicht etwa einer Konvention der Voraufgegangenen, die sein Empfinden in Bann schlägt, folglich seinen Geist geprägt hat, ehe dieser sich selbst in der Sprache ausprägt? Die Frage beschäftigt ihn unaufhörlich, denn dieser Volksliederpoet trägt eine Artistenseele in sich, die nur an Gelulle kein Gefallen findet, vielmehr wissen will, was sie macht.

Sein Verhältnis zur Wirklichkeit ändert sich denn auch im gleichen Maße, wie die Wirklichkeit in Deutschland selbst sich ändert, die „soziale Frage" akut wird, die bisher vorwiegend handwerklichen oder bäuerlichen Gesellschaftsstrukturen auseinanderzubrechen beginnen. Heine hatte die Natur mit seinem Gefühl durchdrungen, die Außenwelt somit zum Anzeiger und Widertöner seines Inneren gemacht. Sie zu beobachten, daran war ihm nicht gelegen; sie hatte vielmehr umgekehrt mit den ihr entliehenen Bildern die Seele auszudrücken („Der Tod, das ist die kühle Nacht"). Die Krise begann, als sich nicht mehr alles, was außen war, mit dem Innern vereinbaren ließ. Als die Welt der Burgen, Waldesschatten und Fischerstuben nicht mehr die alles umfassende, beglaubigte Realität war. Zu scharfsichtig, um diesen Zwiespalt zu übersehen, suchte Heine, beiden Teilen Genüge zu tun, korrigierte er den einen durch den andern, wurde ironisch, also stimmungszerstörend. Und er klagte: „Ich, der ich mich am liebsten damit beschäftige, Wolkenzüge zu beobachten, metrische Wortzauber zu erklügeln, die Geheimnisse der Elementargeister zu erlauschen und mich in die Wunderwelt alter Märchen zu versenken, ich mußte politische Annalen herausgeben, Zeitinteressen vortragen, revolutionäre Wünsche anzetteln, die Leidenschaften aufstacheln, den armen deutschen Michel beständig an der Nase zupfen ..."

Ein Blick ins Vergangene: „die Geheimnisse der Elementargeister" und die „Wunderwelt alter Märchen" mit ihrer traulichen Provinzseligkeit, ausgleichend dazu ein Blick in die Gegenwart, die er bejaht, doch auf seine Weise, mit einem unterdrückten Nein im Herzen. Heine einen Romantiker zu heißen, so wird man immer mehr einsehen müssen, ist unzutreffend, denn das romantische Vokabular, das er ebenso raffiniert wie rührend vorträgt, deckt nur eine halbe Wahrheit. Einen Realisten kann man ihn andererseits auch nicht nennen, denn augenscheingetreue Schilderung der Dinge war ihm verhaßt. Schönheit und Poesie sah er durch eine unausweichliche Plattheit bedroht und einen Utilitarismus trockener Krämerseelen die Dichtung vergewaltigen. Mit seinem Eindringen ins Gedicht wäre der Traum, den Heines Dichtertum von der Alltagswirklichkeit unterschied, kraftlos geworden, zum Hirngespinst herabgewürdigt. Dies befürchtete er und leistete ihm gleichzeitig Vorschub, wenn er – ob in poetischer Notwehr oder in herausforderndem Spiel, ist nicht auszumachen – die innige Gemütslage des Gedichts durch Einschiebsel aus der Welt von Bäcker und Fleischer verhöhnt. („Das ist ein schlechtes Wetter“, Seite 53.) Doppelköpfig war seine Muse: sie blickte in die „alten Märchen“, wo sich ihr ein „Land der Wonne“ auftut, aber mit dem zweiten, dem Tag zugewandten Kopf sah sie etwas anderes: „Doch kommt die Morgensonne, / Zerfließt's wie eitel Schaum.“

Das Zerfließende, das Auflösende ist Heines Teil. In der Gesellschaft gewahrte er gleiches: eine Veränderung der politischen und ökonomischen Wirklichkeit, die sein Verstand guthieß, die der Prosaist Heine herbeisehnte, der Verseschreiber jedoch nur mit Schrecken wahrhaben wollte. Immer wieder erkennen wir den unversöhnlichen Gegensatz, an dem er zeitlebens litt, nicht mit allen Fibern das lieben zu können, dem seine kritische Einsicht Beifall spendet. Er predigte Freiheit für die Unterdrückten, „die armen Leute“, und das galt den Regierenden als subversiv, weshalb sie seine Schriften, die gedruckten wie die noch unveröffentlichten, verboten. Doch vor dem Heraufkommen des „Kommunismus“, wie er, saint-simonistisch inspiriert, das Neue taufte, schreckte er zurück. Er ahnte voraus, daß für ihn, den Sänger und Lobpreiser der kommenden Gesellschaft, dort kein Platz mehr sein werde. So schrieb er prophetisch und klagend in einem: „Dieses Bekenntnis, daß die Zukunft den Kommunisten gehört, dieses Bekenntnis machte ich in einem Ton der Besorgnis und äußersten Furcht und – ach! das war keineswegs Verstellung! Wahrhaftig, nur mit Schauder und Schrecken denke ich an die Zeit, da diese finsteren Bilderstürmer zur Herrschaft gelangen werden; mit ihren schwieligen Händen werden sie erbarmungslos alle Marmorstatuen der Schönheit zerbrechen, die meinem Herzen so teuer sind; sie werden alle jene Spielereien und phantastischen Nichtigkeiten der Kunst zerschmettern, die der Dichter so sehr liebte ... und – ach! mein Buch der Lieder wird dem Gewürzkrämer dazu dienen, Tüten zu drehen, in die er den armen alten Frauen der Zukunft Kaffee und Tabak schütten wird. Ach! ich sehe all dies voraus, und ich bin von einer unaussprechlichen Traurigkeit ergriffen, wenn ich an den Verfall denke, mit dem das siegreiche Proletariat meine Verse bedroht, die mit der ganzen alten romantischen Welt vergehen werden. Und dennoch, ich bekenne es mit Freimut, übt eben dieser Kommunismus, so feindlich er allen meinen Interessen und meinen Neigungen ist, auf meine Seele einen Reiz aus, dem ich mich nicht entziehen kann ... Ich sehe alle Dämonen der Wahrheit im Triumph mich umtanzen, und schließlich bemächtigt sich meines Herzens eine großmütige Verzweiflung, und ich rufe aus: ‚Sie ist schon seit langem gerichtet, verurteilt, diese alte Gesellschaft. Möge die Gerechtigkeit ihren Lauf nehmen! Möge sie zerbrochen werden, diese alte Welt, wo die Unschuld zugrunde ging, wo die Selbstsucht gedieh, wo der Mensch vom Menschen ausgebeutet wurde.'“

Das lasen 1855 die Leser von *Lutetia, Berichte über Politik, Kunst und Volksleben* im Vorwort bezeichnenderweise nur der französischen Ausgabe. Den Verlust der „Unschuld“, dem Heine nachtrauert in der Erkenntnis, daß auch er sie zu wenig gekannt, hat er sein Leben lang nicht verwunden. „Unschuld“ herrschte, als zwischen der Humanität und dem sozialen Egoismus, zwischen den Zielen des Denkens und dem Ehrgeiz der Staatsordnung die Kluft nicht unüberbrückbar und tödlich war. Zur „Unschuld“ gehörte, daß die materielle Welt noch keine die persönliche Lebensform bedrohende Eigengesetzlichkeit gewonnen hatte. Der Zwiespalt zwischen dem unerreichbaren Schönen und dem Nüchternen, womit der bürgerliche Alltag sich zu bescheiden hatte, vernichtete die „Unschuld“. Ihr war der Mensch verhaftet gewesen, als noch kein Gewinnstreben ihm den höheren Sinn verdumpfte. Erst das „Bereichert euch" ließ Selbstsucht aufschießen und verhärtete die Beziehungen zwischen den Menschen, indem es Machtstreben einführte, das auf Unterwerfung, Ausbeutung, letztlich also auf Verdinglichung abzielt. Es galt daher, wie Heine einmal an Heinrich Laube schrieb, den „Kampf um erste Lebensprinzipien, um die Idee des Lebens selbst" zu führen.

Diesen Kampf spürte er noch unentschieden, ohne sich Illusionen über seinen Ausgang hinzugeben. Die „Idee des Lebens selbst" erschien ihm dazu verurteilt, als sinngebende Kraft sich einzuschränken oder abzudanken. Die überlieferte Einheit von Erscheinung und Sinn begann er anzuzweifeln. Daß sie zerspringen mußte, ahnte er voraus. Beklemmung über das wachsende Reich der Dinge, die selbstherrlich jeder Gemütsempfindung spotten, durchsetzt immer stärker sein Gedicht. Heine sieht die Welt nicht mehr als sinnvoll bezogenes Ganzes, sondern als Klitterung von Disparatem. Nur noch Teile, die autonom und zusammenhangslos, behangen mit Fetzen von Gefühlswerten, sich zum ausgetüftelten Kunstprodukt vereinen. Mit ihm findet seine Seele keinen Einklang mehr:

Mein Herz, mein Herz ist traurig
Doch lustig leuchtet der Mai;
Ich stehe, gelehnt an der Linde,
Hoch auf der alten Bastei.

Da drunten fließt der blaue
Stadtgraben in stiller Ruh';
Ein Knabe fährt im Kahne
Und angelt und pfeift dazu.

Jenseits erheben sich freundlich,
In winziger, bunter Gestalt,
Lusthäuser und Gärten und Menschen
Und Ochsen und Wiesen und Wald.

Die Mägde bleichen Wäsche,
Und springen im Gras herum:
Das Mühlrad stäubt Diamanten,
Ich höre sein fernes Gesumm.

Am alten grauen Turme
Ein Schilderhäuschen steht;
Ein rotgeröckter Bursche
Dort auf und nieder geht.

Aus dem gleichen Geist der Exaktheit im Detail und der Entrückung aus bergendem Sinnzusammenhang malte siebzig Jahre später der Zöllner Rousseau seine imaginären Flußansichten. Die Beziehung zwischen dem Erlebenden und dem Erlebten ist gebrochen. Das Auge nimmt stumpf die Bilder auf, reiht sie aneinander. Aus dieser Parallelität, die nie zu einer Deckung führen wird, geht eine beängstigende Ruhe hervor, ein Zeichen, daß kein Kitt das Äußere mit dem Inneren zusammenhält. Der Dichter möchte, Gipfel der Entäußerung, selbst in die unbewegten oder doch nutzlos bewegten Bildteile eintreten. Die Schlußstrophe lautet daher:

Er spielt mit seiner Flinte,
Die funkelt im Sonnenrot,
Er präsentiert und schultert –
Ich wollt', er schösse mich tot.

Könnte es sein, so fragen wir uns jetzt, daß Heine auch deshalb sein „liebliches Geläute“ anstimmt, um der Starre der Welt, die er schon im ersten Versband gewahrte, zu entfliehen? Ironie und Melancholie gehen dann Hand in Hand. Sie entsprießen derselben Wurzel als Doppelblüte. Sie wachsen herauf über der uneingestandenen Leere in der Welt und spiegeln ihr, ironisch oder wehmutsvoll, wie es der Fall will, Beseeltheit vor. Mit dem Anblick einer in Basalt übergegangenen Welt haben uns die Surrealisten vertraut gemacht. Die klare Scheidung von Subjekt und Objekt blieb jedoch immer bei ihnen gewahrt. Sich selbst als Toten zu sehen, vor dem beklemmenden Gesicht in den Traum auszuweichen, um dort zu leben (mit der ständigen Frage auf den Lippen, ob man wirklich lebe), von keinem Surrealisten ist mir Vergleichbares bekannt. In Heines *Memoiren des Herren von Schnabelewopski* aber lesen wir: „Ich ... sterbe an den unheimlichen Ängsten und grauenhaften Süßigkeiten unserer Zeit. Wenn ich des Abends mich auskleide und zu Bette lege und die Beine lang ausstrecke und mich bedecke mit dem weißen Laken, dann schaudre ich manchmal unwillkürlich, und mir kommt in den Sinn, ich sei ja eine Leiche, und ich begrübe mich selbst. Dann schließe ich aber hastig die Augen, um diesem schauerlichen Gedanken zu entrinnen, um mich zu retten in das Land der Träume."

Heines Liebesgedichte, politische Poeme oder Spottlieder (man beachte die Weite des Registers seiner dichterischen Äußerung) – alles Bekundungen eines Lebens, das eingedenk der Zone tödlicher Erstarrung und Ziellosigkeit, durch welche es sich hindurchgerettet, schon um den Glauben an sich selbst zu behaupten, mit ganz besonderer Vehemenz sich ausdrückt. Das viel Rouge und Puder auflegt, vor Maskenhaftigkeit nicht zurückschreckt, sich keine Genugtuung versagt, um das Wissen von seiner Entseelung zu verdecken. Zwischen der Tradition, die dem Herzen teuer sowie der Sprache von selbst mitgegeben ist, und der Loslösung von ihr, d. h. dem Eintritt in ungeschützte Vereinzelung, schwankt Heine und wird dadurch zum Ankündiger der Moderne. Um sich davon zu überzeugen, lese man das Gedicht „Das Herz ist mir bedrückt" aus der Sammlung „Die Heimkehr" auf Seite 56. Zwischen der Welt von „damals", die „noch so wöhnlich", und der von „jetzt" ist „alles wie verschoben": „Gestorben ist der Herrgott oben, / Und unten ist der Teufel tot." Kein Wunder, daß „alles ... so krausverwirrt und morsch und kalt" erscheint.

Heine war der einzige Dichter nicht, den in jener Zeit des abbröckelnden Idealismus die Grauensvision einer erstarrenden manipulierbaren Welt heimsuchte. Bei der Droste

(* 1797), bei Mörike (* 1804) und bei Büchner (* 1813) finden wir manchmal den Ausdruck einer gespenstischen Entrückung in Verwunschenheit oder Entsetzen über die Lähmung, ja Leblosigkeit, der einstmal Blühendes und Gesichertes verfiel. Vor der zum Ding sich entfremdenden Welt, die im Gefühl immer weniger erlebbar wird, wendet sich Mörike ins umschrankte Provinzleben ab, ergibt sich der Idylle und verwehrt der Außenwelt jeden Einblick ins Innere, oftmals Verstörte. Die Droste kehrt sich dem inneren Gesicht zu und zeigt es uns häufig in einer Versteinerung, worin das Alte mit gestockten Pulsen überlebt. Büchner, der Verzweifeltste, stürzt, die seellose Welt entlarvend, ins Absurde, von wo er seine bitteren Angriffe vorbringt. Heine überspielt den Schrecken voltairianisch: er führt den Schauder des Gefühls in rationale Klarheit über.

Die Kälte der Welt löst in ihm Kaltblütigkeit des Geistes aus. Durchgefeilte Form gehört selbstredend dazu, worunter man aber weniger eine raffiniert gepflegte Ausdrucksweise als eine kunstvoll nachlässige verstehen muß. Seine Zeitgenossen warfen ihm vor, er lasse die Umgangssprache ungehemmt ins Gedicht einströmen. Scheinbare Saloppheit gehörte zu Heines Ästhetizismus, der seine Freunde, Börne zum Beispiel, schockierte und den wir heute anders zu werten wissen, als Selbstschutz nämlich vor gorgonischer Erkenntnis. Ezra Pounds Rat für junge Poeten: „Willst du den Inbegriff der Sache, geh zu Sappho, Catull, Villon, Heine, wo er im Schwung ist“ *(motz el son)* erhält, so betrachtet, das Gewicht eines berufenen Hinweises. Heine, der „Sachliche“ trotz Tändelns und Witzelns, vermag gerade heute uns anzurühren. Daß er die fad idealisierende Spätromantik mit ihrem Provinzialismus hinter sich ließ, dieser Mangel, der ihm beim deutschen Publikum Mißtrauen und Ablehnung eintrug, fesselt uns hinwiederum. Der Dichter Heinrich Heine ist mit unsentimentalen Augen wiederzuentdecken. Könnte diese Anthologie dazu beitragen, wäre der Herausgeber glücklich.

Georges Schlocker

ALPHABETISCHES VERZEICHNIS DER GEDICHTANFÄNGE

INHALT

Aus dem BUCH DER LIEDER

Aus der Nachlese zum BUCH DER LIEDER

Aus NEUE GEDICHTE

Aus der Nachlese zu den Neuen Gedichten

Aus Romanzero

Aus der Nachlese zum ROMANZERO

AUS ATTA TROLL. EIN SOMMERNACHTSTRAUM